LA REVANCHE DES PRINCESSES

© 2019 Poulpe Fictions
Poulpe Fictions, un département d'Édi8,
12, avenue d'Italie, 75013 Paris - www.poulpe-fictions.fr

Conception graphique : Manon Bucciarelli
Maquette : Eloïse Jensen
Correction : Caroline Guineton et Anne-Sophie Bord
À Lola, poulpe avant le poulpe, dont les chatouilles nous manquent.

Loi n° 49-956 du 16 juillet 1949 sur les publications destinées à la jeunesse,
modifiée par la loi n° 2011-525 du 17 mai 2011.
ISBN : 978-2-3774-2052-0 Dépôt légal : mars 2019.
Imprimé en Espagne.

LA REVANCHE DES PRINCESSES

Illustrations : Kim Consigny

poulpe FICTIONS

ANNE-FLEUR MULTON

La Princesse est en colère

— **P**apa, tu me racontes une histoire ?

— Une histoire... de monstre ?

— Mmmh... Non.

— De sorcière ?

— Non plus !

— Le conte des sept agneaux qui cherchaient leur mère ?

— Non, non et non ! Ce soir, je veux... une histoire de princesse !

— De princesse ? Mais tu aimes ça ?

— Ben oui, pourquoi pas !

— D'accord. Il était une fois... un prince qui voulait épouser une princesse, une vraie princesse, avec la peau douce, tout en délicatesse, et...

9

— Mais papa, je voulais une histoire de princesse ! Pas une histoire de prince charmant qui a du mal à trouver chaussure à son pied !

— Bon, je vois, je vois. Il était une fois... une princesse qui était enfermée dans une tour sans porte ni fenêtre, et toute la journée, elle attendait celui qui viendrait la sauver. Et le premier jour de l'été...

— Ah ça, c'est bien une histoire de princesse ! Mais elle a l'air ennuyeuse à mourir. Dis papa, pourquoi les princesses passent toujours leurs journées à attendre ou à dormir ?

— Tu as raison de me poser la question, et je crois que je connais peut-être une histoire qui pourrait te plaire. Va chercher le gros livre en cuir vert sur la dernière étagère. Souffle la poussière... C'est parti !

Il était une fois...

Il était une fois une princesse qui en avait marre. Des années qu'elle était comédienne au Grand Théâtre des Histoires du Soir, et tous les jours, c'était la même chose. Soit elle jouait la princesse en détresse menacée par un dragon, soit une méchante marâtre l'avait enfermée dans un donjon. Et elle avait beau tempêter, réclamer des rôles différents, on lui donnait toujours le même scénario poussiéreux et ennuyeux.

C'était une star, que diable ! Le monde entier la connaissait et la réclamait ! Vous pensez bien, elle avait même joué dans des Disney.

Alors pourquoi les princesses ne pouvaient-elles jamais interpréter des personnages amusants ? se demandait notre petite princesse en enfilant avec mauvaise volonté sa magnifique robe rose pailletée (car c'était une princesse qui aimait rigoler).

Il faisait bientôt nuit, et dans la loge, les comédiens s'activaient sans bruit.

Les loges étaient un endroit magique : c'était là que les héros de l'histoire, les gentils et les méchants, se préparaient chaque soir. La vieille sorcière se repoudrait le nez en vert, le prince aiguisait son épée, le chat cirait ses chaussures pour être bien botté. Ils avaient l'habitude, le spectacle était rodé et ils étaient fin prêts. Mais il fallait se dépêcher, ça allait bientôt commencer...

Sauf que ce soir, la princesse en avait marre. Marre de se pomponner, de se parfumer, de se rouge-à-lèvriser et de s'entraîner à chanter des heures pour rejouer encore et encore la même histoire. Marre, marre, marre.

Cette nuit, c'était décidé, on changerait d'histoire ! Princesse en grève, finis les petits pois et les robes en soie !

La princesse avait son air des mauvais jours. Sourcils froncés, nez retroussé, ça allait barder. Elle voulait trouver le responsable de ses répliques gnangnans et lui dire sa façon de penser ! Sous les yeux médusés des deux fées qui venaient d'arriver pour se préparer, notre princesse en colère ramassa ses cliques et ses claques (et ses trois kilomètres de jupons en vrai taffetas, on est princesse ou on ne l'est pas) et sortit d'un pas décidé de la loge des comédiens.

Quand une princesse est énervée, je vous déconseille d'approcher, vous risqueriez de vous faire foudroyer par un éclair de paillettes dorées. Voilà pourquoi le costumier, quand il vit notre princesse arriver dans son atelier, se replia prudemment derrière la cape que le Petit Chaperon rouge lui avait demandé de repriser (le loup l'avait encore mordue trop fort, et le tissu s'était déchiré).

D'ordinaire, tous deux s'entendaient plutôt bien, ils papotaient jupons, potins et arithmétique (car c'était une princesse qui aimait la mode et les mathématiques). Mais aujourd'hui, il ne serait pas question de souliers de verre ou du nombre d'or (ni de souliers d'or et du nombre de verres, d'ailleurs), parce qu'aujourd'hui, vous l'aurez compris, la princesse EN AVAIT MARRE, MAIS MARRE !

— Costumier, toi qui es mon ami, sais-tu pourquoi on ne me propose JAMAIS de jouer un rôle intéressant (vibrionnant, exaltant, sautillant, voire méchant !) ?

Le costumier hésitait. Le théâtre, les contes, les histoires du soir, lui, il n'y connaissait pas grand-chose, pour ne pas dire rien. Par contre, des comédiens, il en avait habillé plus d'un ! Et s'il y avait bien une chose dont il était sûr, c'est que les robes de princesses sont bien trop encombrantes pour escalader une forteresse.

— Ô grande princesse aux joues roses et au regard

d'opale, je ne puis répondre à votre question, mais j'ai une idée ! Pour montrer votre hardiesse, si vous le désirez, vous pourriez troquer votre longue robe contre un costume plus approprié ? J'ai ici de merveilleux atours de bandits, des pantalons de chevaliers qui bravent tous les dangers, je peux même vous vêtir d'écailles de dragon, si vous vous sentez de jouer un personnage grognon (car les dragons sont toujours grognons).

— Costumier, mon ami, je ne crois pas vouloir être un bandit, et encore moins un chevalier (franchement, vous les avez bien regardés ?). Et un dragon... Non, non et non ! Princesse je suis, princesse je resterai. Puisque vous n'en avez pas en stock, ne pourriez-vous pas me confectionner une tenue d'aventurière spéciale princesse juste pour moi ?

Sitôt dit, sitôt fait. Le ciseau virevolta et coupa les tissus vaporeux, l'épingle drapa le tulle sur le mannequin, un mètre mesura la longueur de ses bras, une aiguille fit les ourlets, et en moins de temps qu'il n'en faut pour le dire, *PAF* ! Devant la princesse éblouie, une magnifique tenue d'aventurière n'attendait que d'être essayée.

Tout y était : le pantalon d'un fuchsia très mode était aérodynamique, la ceinture en fil d'or permettait aussi de transporter une épée et le corsage était un délicat treillis fabriqué dans les pétales de rose les plus doux. Même les rangers avaient des paillettes. Il n'y avait pas à dire, c'était du travail de compète.

La princesse siffla d'admiration : avec ça sur le dos, pas de doute, son histoire allait prendre un tournant intéressant. Mais le costumier se tortillait, un peu gêné : après minuit, la tenue allait disparaître et la princesse retrouverait ses histoires gnangnans et ses rôles de second plan.

— En est-on encore à une époque où les princesses ne peuvent profiter que d'une seule soirée de qualité ?! lança la princesse, ulcérée.

Car la princesse n'avait pas besoin d'une énième bonne fée : ce qu'elle voulait, c'était un Grand Rôle. Il fallait être ambitieuse, nom d'une citrouille !

— Merci de ton aide, costumier, mais ça ne va pas me suffire.

Et tant mieux !

L'enquête continue ! pensa la princesse, que l'aventure commençait à amuser.

La princesse sortit de l'atelier du costumier dignement, ferma la porte souverainement puis... descendit les escaliers qui menaient à l'entrée du théâtre sur la rampe de marbre (car même les princesses préfèrent descendre les escaliers par la rampe plutôt que par les marches). La descente était vertigineuse, et la rampe particulièrement lisse : la princesse adorait la vitesse, et elle était servie !

Mais... attention ! Il y avait quelqu'un au bout de la rampe !

La princesse n'eut pas le temps de freiner. *PAF* ! Elle percuta le régisseur de plein fouet.

Le régisseur était un petit monsieur joufflu, très rouge, avec une immense moustache soigneusement gominée, un très très gros ventre et une toute petite tête. Il était toujours angoissé, et consultait sans arrêt la petite montre à gousset qui ne le quittait jamais.

Qui s'occupait des affiches des spectacles ? Lui ! Qui faisait les emplois du temps des comédiens ? Lui ! Qui accueillait le public ? Lui encore ! Qui gérait les milliers de petits problèmes du théâtre ?

Lui, lui, lui !

C'était donc un monsieur très important, mais pour le moment, les quatre fers en l'air et la moustache en désordre, il n'avait pas l'air spécialement impressionnant. La princesse était tout à fait désolée, mais elle ne pouvait s'empêcher d'avoir aussi envie de rire très très fort, ce qui lui donna le hoquet.

— Régisseur – hic –, toi qui connais comme ta poche ce théâtre, sais-tu pourquoi on ne me propose JAMAIS – hic – de jouer un rôle intéressant ?

Mais le régisseur n'avait même pas écouté la question.

— Comment se fait-il que Votre Excellence ne soit pas en

train de se préparer dans sa loge ? Il est l'heure, pourtant ! On va être en retard, dieux tout-puissants, vous n'avez même pas mis votre fard !

Le petit homme affairé, sans la regarder, prit la princesse par la main : il devait la ramener dans sa loge immédiatement, elle allait se préparer gentiment et rapidement et cette affaire serait réglée. Aaaah, il était si doué pour l'organisation !

Mais la princesse ne l'entendait pas de cette oreille. Elle détestait qu'on ne l'écoute pas, elle détestait qu'on la prenne par la main, et par-dessus tout, elle détestait qu'on lui dise ce qu'elle devait faire. Elle était à nouveau si en colère que son hoquet avait disparu. On allait lui répondre, et pas plus tard que maintenant, nom d'un fuseau !

— Régisseur, POURQUOI ne me propose-t-on JAMAIS de jouer un rôle intéressant ?

Une princesse se doit de chanter du soir au matin, et notre princesse, qui ne manquait jamais de s'exercer, avait une voix puissante et qui portait fort loin. Cette fois-ci, le régisseur l'avait forcément entendue.

— Mais enfin, Votre Grandeur, vous avez déjà un rôle passion-nant ! N'êtes-vous pas contente d'être au cœur de toutes les quêtes ? Ne faites-vous pas tourner toutes les têtes ? Après tout, les chevaliers se battent toujours pour vous ! Quel honneur !

— Franchement régisseur, à quoi sert de faire tourner toutes les têtes si c'est pour n'avoir aucune ligne de texte ? répondit la princesse avec malice.

Le régisseur n'en savait rien. D'ailleurs, cela ne l'intéressait pas : il pensait avoir affaire à un caprice de diva.

Comme vous le constatez, ce régisseur était meilleur horloger que conseiller.

La princesse, qui était une fine mouche, l'avait vite compris. Ce n'était pas lui qui lui donnerait le rôle de sa vie.

Aussi, avec le sérieux qui seyait à son rang, elle replaça son diadème bien droit et ramassa les dizaines de petits pois qui s'étaient échappés de son cabas en soie (elle s'en servait pour tester ses literies et accompagner son riz), puis elle s'en fut, sans un regard pour le régisseur dépassé.

Celui-ci, dans une tentative désespérée pour retenir notre princesse (qui n'en avait plus rien à faire), lui lança à tout hasard :

— Princesse, vous oubliez votre soulier !

— Je m'en fiche, régisseur. Saviez-vous que les princesses peuvent aller nu-pieds ?

Ce qu'elle fit.

La moquette rouge du théâtre était très confortable ; la princesse, qui était une excellente danseuse, esquissa un entrechat. Puis un développé. Puis cinq petits pas chassés, un fouetté, deux pirouettes et un grand jeté pour passer au-dessus du Petit Poucet qui ramassait des galets. Mais... attention princesse ! Il y en a un sous ton pied, tu vas glisser !

Vite, un roulé-boulé pour se rattraper, un saut de biche pour s'envoler dans les coulisses, plié, retiré, relevé, glissades et pas de bourrée, on écarte les rideaux et on saute les travées... Révérence !

— Braaaaaavo ! *Bravisssimaaaaaa ! Che bella ! Principessa*, vous êtes une danseuse *meravigliosa*, foi de Farinelli !

— Machiniste, vous ici ? Je suis ravie de vous revoir parmi nous sur terre, parce que justement, j'ai besoin de vos lumières !

— *Certo*, les lumières, c'est ma spécialité ! Dites-moi tout, *mia principessa*, sur quoi Farinelli peut-il vous éclairer ?

La princesse adorait Farinelli, sa fantaisiste compagnie, ses hauts-de-forme extravagants et ses cravates jaune canari.

Il s'occupait avec un enthousiasme débordant des lumières et des décors du Grand Théâtre des Histoires du Soir depuis deux ans, mais avant d'être machiniste, Farinelli avait été camériste, bagagiste, archiviste, anticonformiste, juriste, lampiste, janséniste, soliste, taxidermiste, évolutionniste, coiffeur visagiste et chanteur d'opérette.

Grâce à tous ces métiers, notre fantasque machiniste pourrait peut-être donner une piste à la princesse pour l'aider dans sa quête !

Avant de poser sa sempiternelle question, la princesse inspira à fond et se lança courageusement dans l'énumération (car c'était une princesse qui n'avait peur de rien, ou presque) :

— Mon très cher machiniste, vous qui avez été camériste, bagagiste, archiviste, anticonformiste, juriste, lampiste, janséniste, soliste, taxidermiste, évolutionniste, coiffeur visagiste et chanteur d'opérette, savez-vous pourquoi on ne me propose JAMAIS de jouer un rôle intéressant ?

— *Mamma mia*, c'est une question compliquée, ça ! Laissez-moi réfléchir, *mia principessa*. Quand je vous regarde depuis mes projos, je dirais que c'est à cause de votre *trucco*.

— De mon truc-o-quoi ? demanda la princesse, à qui on avait appris le latin mais pas l'italien.

Le machiniste parlait du maquillage de la princesse. En effet, celle-ci, en trois coups de pinceau et de paupières fardées, arrivait à se fabriquer un masque de souveraine sage, ou de souveraine en rage. Avouez que c'est plutôt brillant d'être aussi experte en maniement de l'épée qu'en pinceau biseauté !

— Mon maquillage, machiniste ? Mais que vient-il faire dans notre histoire ?

— Il faut me croire, *mia principessa*, sous mes lumières, il fait fort chaud, et tout votre *trucco*, il pourrait bien couler, foi de machiniste patenté !

— Alors comme ça, on m'interdirait de combattre des dragons, d'escalader des donjons, de déjouer le complot de méchantes fées et d'éviter de justesse des ogres affamés JUSTE PARCE QUE MON MAQUILLAGE POURRAIT COULER ?!

— *Macché*, vous avez bien raison, *mia principessa*, c'est peut-être un peu léger... répondit le machiniste soudainement désolé (et aussi vaguement effrayé, car les yeux de la princesse avaient recommencé à envoyer des éclairs dorés).

Tout à coup, à sa grande surprise, la princesse se mit à rire, mais à rire, mais à rire... Elle n'y pouvait rien, impossible de s'arrêter, tant elle trouvait la situation d'un ridicule consommé. Son maquillaHAHAHAgeeepffff... pourrait... COULER ! La blague ! Elle riait tant et tant qu'elle avait même commencé à en pleurer. D'un geste amusé, la princesse tamponna avec un mouchoir brodé ses cils ourlés de larmes et de mascara.

— Regardez, machinffffIHIHIHIiste, regardez bien ! Voyez comme mon mouchoir reste immaculé, sans aucune trace de mascara pour venir le souiller ! Voyez comme j'essuie mon visage sans dommage ! OUHOUHOUpffff machiniste, vous n'êtes plus à la page, on a depuis longtemps inventé du maquillHAHAHAge... waterproof !

Et *POUF* ! Son fou rire menaçant de repartir de plus belle, la princesse venait de transformer avec ses doigts de fée son très chic chignon à la mode de la cour du Gabon en tresse

démesurée (un truc que maîtrisent toutes les princesses dès leur première année à l'école de la royauté). Sans hésiter, notre princesse l'envoya comme un lasso s'accrocher à une colonne dorée du poulailler.

— *Ciao, bambino* ! dit-elle au machiniste encore tout hébété, avant de se servir de sa tresse comme d'une tyrolienne pour rejoindre le dernier étage du théâtre.

En effet, elle venait d'avoir une idée.

— *Ciao, mia principessa* ! répondit en écho le toujours élégant machiniste en soulevant son chapeau. *Buona fortuna* ! murmura-t-il ensuite en italien.

Mais la princesse était déjà loin.

La princesse avait bien visé : sa tresse s'était enroulée exactement autour du premier pilier. Tous les sièges, encore vides, attendaient avec impatience le public qui ne tarderait pas à arriver pour assister au spectacle.

Tous les sièges, vraiment, princesse ?

À mieux y regarder, au fond du poulailler, une rangée de fauteuils capitonnés était déjà occupée par une petite troupe très bruyante. Et ça caquetait, et ça gloussait, et ça glougloutait... Au centre de cette basse-cour froufroutante, l'air inspirés (et très fiers d'eux), deux messieurs aux longs pieds et aux jabots de dentelle impressionnants déclamaient d'interminables lais (que la princesse trouva tout de suite fort mauvais).

— Holà de la basse-cour, héla la princesse avec curiosité, peut-on

savoir à quoi vous êtes occupés ?
La pièce va bientôt commencer !

— Nous créons, ma petite demoiselle, répondirent en chœur les messieurs aux longs pieds d'un air mi-arrogant mi-emprunté, avant de se racler la gorge et de prendre une grande goulée d'inspiration (ils s'apprêtaient à réciter un monologue particulièrement profond qui réclamait – « ahem ahem » – toute leur attention).

Mais la princesse, lointaine descendante d'un certain Roi-Soleil, ne l'entendait pas de cette oreille :

— Sachez, messieurs, que je ne suis la « petite demoiselle » de personne, et surtout pas de grands dadais guindés ! Qui êtes-vous pour me parler sur ce ton, nom d'une pomme empoisonnée ?

Cette fois-ci, jabots et longs pieds semblaient agacés. Cette péronnelle ne savait-elle pas qu'ils avaient horreur d'être dérangés ? Ils allaient s'en débarrasser, et plus vite qu'une malédiction lancée par une méchante fée, ça ne ferait pas un pli.

Tous aux abris, ça allait barder !

— Tremblez, ribaude, car vous avez devant vous les terribles et géniaux Comtes Grimm et Perrault ! Ce sont nous qui inventons les histoires qui se jouent ici tous les soirs... Osez encore une fois faire preuve d'insolence et nous transformerons votre destin de petite paysanne sans histoire... en vous faisant croiser le loup !

— Aaaah, c'est vous ! dit la princesse, soulagée, en s'écroulant sur un fauteuil molletonné. Je vous ai cherchés PARTOUT !

De leur côté, les terribles et géniaux Comtes Grimm et Perrault perdaient de leur superbe : l'impressionnant jabot s'affaissait, les longs pieds s'emmêlaient... Comment se faisait-il que la gamine ne soit pas le moins du monde effrayée ? Le loup, normalement, ça marchait à tous les coups !

— Figurez-vous que je le connais bien, votre loup, renchérit la princesse avec audace (car c'était une princesse qui détestait les menaces ; à son tour de faire peur à ces deux nigauds de Comte Grimm et Comte Perrault). Croyez-le ou non, la dernière fois que nous en avons discuté, le loup en avait plus qu'assez de devoir croquer des grands-mères et des agneaux, il préférerait de loin prendre son dessert dans un bon petit bistrot ! Les tabliers, les jupons et les bas, ça lui cause des douleurs d'estomac... mais peut-être qu'il n'aurait rien contre un jabot en dentelle, ça, je ne sais pas ?

La princesse, un peu malicieusement, laissa planer sur le poulailler un lourd silence angoissé, avant de se fendre d'une grande révérence et de se présenter, histoire d'achever les Comtes Grimm et Perrault (qui en étaient à déchirer nerveusement leurs jabots).

Il n'y avait pas à dire, la princesse avait le sens du spectacle.

— Que p-p-pouvons-nous faire p-p-pour vous, V-v-votre Im-m-mense Grandiloq-q-quence ? demandèrent les deux Comtes en tremblant (l'un des deux claquait même des dents, car avoir le sang bleu n'empêche pas d'être peureux).

— N'en faites pas trop, mes amis, ou je pourrais croire que vous faites semblant. Je pense bien avoir une question pour vous, cependant. Savez-vous pourquoi on ne me propose JAMAIS de jouer un rôle intéressant ?

Pieds et jabots en dentelle reprenaient du volume en même temps que les Comtes retrouvaient leur panache : ils avaient la réponse ! La princesse voulait savoir pourquoi, dans chaque histoire, on la laissait s'ennuyer dans une tour haute de cent pieds pendant que seuls les chanceux chevaliers avaient le droit de braver tous les dangers pour venir la sauver ?

C'était bien simple : il ne pouvait pas en être autrement, tout bonnement ! Aux princesses les donjons, aux chevaliers les épées... Ainsi fonctionnaient le monde et ses lois, c'était comme ça !

— Mais enfin, quelle mauvaise foi ! tempêta la princesse. Voyez vous-mêmes comment je suis arrivée là ! J'ai joué du lasso, j'ai fait des saltos, j'ai même descendu un escalier sur les fesses... Que cette mascarade cesse, et qu'on m'explique une bonne fois pour toutes pourquoi aucun conte ne relate mes exploits ! Et je veux une bonne raison, cette fois, car je suis à deux doigts d'en avoir VRAIMENT marre, nom d'un carrosse en retard !

— Votre Arborescence, le problème n'est pas d'être CAPABLE de vivre ces aventures, le problème est de les RACONTER, répondit le Comte Perrault en faisant tant de courbettes qu'il se prenait la tête dans les banquettes rembourrées du poulailler.

— T-t-tout à fait, V-v-votre Déliq-q-quescence, renchérit le Comte Grimm (toujours un peu tremblant : une colère de princesse, c'est impressionnant). Même si vous étiez la princesse la plus costaude qu'il ait jamais existé, nous ne pourrions rien y changer : le véritable obstacle ne se combat pas en duel à l'épée... mais avec des mots, car c'est de la langue française qu'il s'agit !

La princesse n'y comprenait plus rien. Il semblait bien abstrait, ce problème d'écrivain. Si abstrait que la princesse doutait sérieusement qu'il fût vrai. Le Comte Perrault, voyant la situation lui échapper, dégaina de sa besace une plume d'oie argentée :

— Voyez plutôt, Votre Obsolescence ! Vous qui êtes une fière guerrière, ne vous rêveriez pas adoubée chevalière ? Je vois briller vos yeux : ne m'en dites pas plus, je m'en vais de ce pas exaucer votre vœu ! Absolument, princesse, j'en fais le serment ! Mais regardez plutôt...

Et d'un geste preste, le Comte Perrault raya du Grand Recueil des Histoires du Soir le nom de la princesse, et traça à sa place en élégants pleins et déliés le mot « chevalier »...

Chevalier ? En êtes-vous bien sûrs ? N'était-ce pas plutôt écrit...

Mais si ! Misère de misère ! Le Comte Perrault avait écrit « chevaliÈRE ». Et *PAF* ! il avait transformé notre pauvre princesse aventurière en bague plutôt vulgaire.

D'un air magnanime, le Comte Grimm (plutôt content de la démonstration) gomma la transformation, faisant retrouver à la princesse, re-*PAF* !, ses habituelles proportions.

— Vous l'avez vu vous-même, Votre Convalescence : en français, le mot « chevalière » désigne une bague pour montrer ses armoiries, pas une jeune femme qui brave tous les défis... Faites-vous une raison, les princesses sont là pour embrasser les princes comme les chiens détestent les chats :

c'est dans l'ordre des choses, et c'est très bien comme ça ! Nom d'un Molière, vous devriez filer dans votre loge, Votre Concupiscence, le spectacle va bientôt commencer et votre fard à joues s'est un peu estompé !

Alors là, la princesse était carrément saoulée. Tout de même, ces Comtes Grimm et Perrault étaient sacrément gonflés ! On lui donnait des leçons, on la prenait pour un pigeon, on la transformait en bague : et la prochaine fois, ce serait en caleçon ?

— Mes chers Comtes, vous n'avez rien compris : l'écriture, c'est une histoire d'invention et d'intention, voyons ! Il suffisait de le vouloir pour m'écrire une grande histoire. Toutes mes excuses, mais vous êtes bêtes comme vos grands pieds. Alors comme ça, les princesses sont faites pour embrasser ?

Pour votre gouverne, sachez qu'il faut toujours se méfier d'une princesse mal lunée : elle a tôt fait de vous embrasser sur la joue pour vous transformer, *POUF* !, en crapaud mou !

Deux *smacks* plus tard, c'en était fini des Comtes Grimm et Perrault, changés en rainettes à grands pieds pour cent et une années.

Quant à la princesse… Croyez-vous vraiment qu'elle soit sagement retournée dans sa loge se farder ?

Évidemment non ! Elle a ramassé la plume d'oie, l'a longuement mâchouillée, laissant le temps à sa toute nouvelle Grande Idée de germer : puisque personne dans ce théâtre n'était fichu d'écrire correctement une vraie folle et formidable histoire de princesse, c'était elle qui allait le faire !

« Il était une fois une princesse qui en avait marre. »

— C'est fini, papa ?

— Tu ne dors pas, toi ?

— Non, je ne dors pas : je ré-flé-chis.

— Tout de même, il est presque neuf heures et demie. Allez, hop, remonte ta couverture, et éteins ta lumière !

— La princesse, elle a pu devenir chevalière ?

— Le conte ne le dit pas ! Mais comme elle avait l'air très courageuse, j'ai bon espoir, tu vois. Cette princesse, elle est comme toi, ma chérie. Toi aussi, tu es libre d'écrire ton histoire et de vivre des tas d'aventures !

— Promis juré, croix de bois et crotte de nez ?

— Promis juré. Et maintenant, parée pour ta première Grande Aventure ?

— Parée ! J'ai Filou et mon épée, aucun dragon n'peut me terrasser ! Bonne nuit, papa.

— Bonne nuit, princesse !

ALICE BRIÈRE—HAQUET

#CHARMING

— **V**os portables sont bien éteints ? Je vous rappelle qu'ils sont dangereux pour les princesses et donc formellement interdits dans l'ensemble du CPP.

La voix stridente de Mme Lheim avait fait sursauter Mathilde. C'était pourtant la troisième fois que leur prof de français le leur disait. Une tendance au radotage assez fréquente chez les profs en général, qui se doublait ici de circonstances exceptionnelles. La classe de Mathilde visitait ce jour-là le célèbre CPP, le Centre de Protection des Princesses, un endroit sous haute sécurité. Rien ne devait venir perturber les précieuses pensionnaires. Avec la gardienne du vestiaire, le type de la sécurité et les cinq panneaux affichant un téléphone barré cerclé de rouge depuis le sas d'entrée, cela faisait dix fois que l'info leur parvenait...

Et dix fois que Mathilde vérifiait au fond de sa poche que le sien était bien allumé.

Son cœur, pour la dixième fois, s'emballa légèrement, et elle fit jouer machinalement un trombone entre ses doigts pour se relaxer. Elle n'avait pas l'habitude de désobéir, elle, l'élève discrète, avec ses vêtements trop larges et trop noirs. Son uniforme d'invisibilité selon les mots de son père. Peut-être. Ce qui est certain, c'est qu'elle avait du mal à comprendre ses camarades de classe, leur frénésie de marques, leurs uniformes sous licences, et qu'elle se sentait mieux à l'écart. Le soir, elle retrouvait ses amis en ligne, ses vrais amis, ceux qui se faisaient appeler les « Charming », c'est-à-dire les Princes. Eux se fichaient de comment elle s'habillait ; ils s'intéressaient à ce qu'il y avait tout au fond d'elle, ses espoirs et ses rêves.

Avec eux, Mathilde pouvait discuter de ce qui était vraiment important : l'oppression des plus faibles, le calvaire des émigrés, les enfants malmenés, les animaux abattus par milliers... Toutes ces choses absurdes que les gens semblaient accepter avec le plus parfait naturel. Comme si tout était normal. Comme si c'était elle, la fille bizarre. Cette norme, parfois, la faisait suffoquer. Ses parents souriaient devant ce qu'ils prenaient pour des colères d'enfant, d'une naïveté charmante. Quant à ses camarades de classe, si elle avait laissé paraître ce qu'elle pensait vraiment, ils l'auraient tout de suite étiquetée Mère Teresa ou Dalaï-Lama, un vieux truc ridé et sans intérêt.

Les Charming, eux, prenaient tout cela au sérieux. Ils s'étaient même forgé une devise en bouclier, des mots qu'ils se répétaient et qui leur permettaient d'avancer : « Les choses changent, doucement, et il ne tient qu'à nous de les accélérer. »

Ce matin encore, son smartphone avait vibré pendant tout le petit déjeuner de mots d'encouragements. Des « On compte sur toi » et autres « On est là », qui la faisaient se sentir plus grande et plus droite. Elle vérifia une onzième fois.

— Avancez, je vous prie, mais en restant bien groupés !

L'intégralité de la classe, moins deux malades, s'engouffra dans le hall central, celui où l'on avait installé les princesses. Un tiers des élèves poussa des « Oh » d'admiration, un tiers des « Ah » émerveillés, un autre tiers des « Hi » surpris. Mathilde passa la dernière et ne dit rien. Le lieu était pourtant du genre extraordinaire. On avait reconstitué un authentique faux château. Un peu comme celui de Versailles qu'ils avaient visité en primaire, mais avec des dorures en plastique antisismique et des vitraux colorés à l'épreuve des balles. Les concepteurs avaient également ajouté ici et là des oiseaux bleus, mi-baroques mi-kawaii, qui diffusaient une musique douce dans le bâtiment. Les caméras semaient partout leur clignotement vert.

Mme Lheim, Betty de son petit nom, triturait nerveusement son badge d'identification siglé du grand CPP doré. Mathilde savait que sa prof renouvelait depuis plus de quinze ans sa demande de visite chaque année, sans trop y croire... Le centre était avant tout destiné aux chercheurs, et seules quelques classes, triées sur le volet, étaient autorisées à le visiter. C'était une vraie opportunité.

Les Charming le lui avaient assez répété.

Mme Lheim également... Leur rappelant à chaque cours le privilège qu'ils allaient avoir de rencontrer de véritables princesses en milieu presque naturel. Depuis plusieurs décennies, il n'y en avait plus dans le monde réel. Après leur pic de popularité aux XIXe et XXe siècles, elles avaient subitement décliné et presque disparu. Ce centre était leur dernier bastion. Il fallait faire attention.

— Je compte sur vous, les enfants ! Les princesses ont besoin de calme. Il faut les préserver du monde extérieur et de ses modernités. Surtout, pas de gros mots, rien qui ne puisse les choquer.

Lheim leur fit signe d'avancer, continuant de parler :

— Une chance, une vraie chance... C'est un miracle que nous puissions encore en voir aujourd'hui. Elles sont tellement délicates ! Tenez, le premier spécimen est un cas d'école – si j'ose dire... Hi, hi, hi. Qui la reconnaît ?

Mathilde vit ses camarades s'arrêter devant la première vitrine, immense et blindée. Juchée sur vingt matelas, une princesse très maigre les fixait de ses yeux cernés. Par terre, sous une cloche sécurisée, trônait le petit pois qui l'avait rendue célèbre. Les élèves se turent, un peu surpris du spectacle. C'était leur première princesse et sans doute ne s'attendaient-ils pas à ça... La jeune fille semblait creusée de l'intérieur, minée par les soucis, et Mathilde ne put s'empêcher de superposer l'image du premier loup qu'elle avait vu, enfant, dans un zoo, et de sa déception mêlée de mélancolie devant la pauvre bête miteuse. Même sans petit pois, il était clair que cette princesse n'avait pas dormi depuis des nuits. Mathilde repéra quelques moues de compassion sur les visages de ses camarades qui, par un étrange jeu d'inversion, donnèrent à Mathilde un demi-sourire. Elle se positionna de trois quarts, l'angle idéal pour sa petite caméra camouflée dans son sweat trop large.

Lheim ne saisit pas la nature du silence qui venait de s'installer, elle attendait sa réponse. Elle se tourna comme souvent vers le premier de la classe.

— Abdel ?

Abdel s'ébroua et afficha son sourire de vainqueur.

— C'est la Princesse au petit pois, M'dame. L'histoire d'un prince qui veut épouser une princesse, mais une VRAIE princesse. Évidemment, la définition n'est pas claire, et il ne trouve pas. Un soir d'orage (éclair – tonnerre – grosse ambiance), une princesse débarque dans son château, se déclarant authentique princesse, une vraie de vraie, promis-juré-craché. La mère du prince a alors une idée pour vérifier : elle glisse, sous les vingt matelas de l'invitée, un petit pois. Comme au matin la demoiselle est couverte de bleus, on en conclut qu'une femme si délicate ne peut être qu'une vraie princesse et le prince l'épouse.

Abdel avait un certain talent d'orateur, il fallait l'admettre. Mathilde avait même souri à l'épisode de l'orage, oubliant une seconde l'indécence de la situation... Une princesse AOC, élevée au grain, triée sur petit pois, pour que le prince l'épouse sans même lui avoir parlé... Et après ? Ils se marièrent et eurent beaucoup d'enfants, sans doute. Mathilde imagina l'avalanche des tracas : grossesses, accouchements, jouets qui traînent, chutes de bicyclette... Une vie bien pleine, même de princesse, pouvait-elle se passer de ces mille et un poids ? Marlène, l'inséparable amie d'Abdel, stoppa le cours de ses pensées :

— C'était bien la peine que les marraines fées se cassent la tête avec la douceur, l'intelligence, la grâce... s'il suffisait d'être une chochotte !

— C'est ça, reprit Abdel, et du coup, tu as toutes tes chances !

Marlène se vengea d'un coup de coude, qui tira un petit cri de son ami, lequel répliqua par une attaque « petit pois lardon » – deux doigts dans le gras du ventre, pile là où ça chatouille – et les deux se chamaillèrent comme des chiots. Betty Lheim poussa un discret soupir de désespoir. Vaillamment, elle tenta une nouvelle fois de leur transmettre la profondeur de ces textes anciens. Elle leur expliqua l'allégorie de la délicatesse comme signe de sensibilité, l'âme à fleur de peau... Et puis le symbole du sang bleu, bien sûr, qui était censé être celui de l'aristocratie, un signe distinctif de rang, en somme... Comme à son habitude, elle s'emballa, et c'est à nouveau Marlène qui l'arrêta.

— Pas très démocratique tout ça...

Cette fois, la vieille enseignante perdit patience :

— Ce n'est pas une question de naissance, bien sûr, mais de valeurs, la valeur du cœur ! Parce qu'enfin, reconnaissons que tout le monde ne se vaut pas... J'en ai vu défiler, des jeunes gens. Tous n'ont pas la même sensibilité aux beautés de la littérature ou de la peinture... Mais cela peut s'améliorer avec l'éducation, c'est bien là ma mission !

Petit pois pour les uns, sensibilité à l'art pour les autres. La définition de la vraie princesse posait décidément toujours problème, pensa Mathilde. Et elle imagina sa prof derrière l'une de ces vitrines, avec un petit écriteau indiquant : « Princesse du royaume scolaire, l'orthographe parfaite au berceau lui fut offerte ». Elle haussa les épaules. Miroir mon beau miroir, qui est la plus princesse du pays ?

Lheim continuait son ardent éloge de l'école républicaine, mais le groupe avait cessé de l'écouter et s'avançait vers la deuxième vitrine où brillaient les trois robes de Peau d'âne. La lune, le soleil et le temps entrecroisaient leur miroitement surnaturel, masquant tout à fait la pâle jeune femme qui préparait un gâteau à l'arrière. La peau de bête décrépite pendait, sinistre, sous une grande cloche de verre.

Une nouvelle fois, le groupe s'était instinctivement tu. Était-ce pour la beauté des robes ou la tristesse de la jeune fille ? Mathilde n'aurait su le dire. Le contraste, en tout cas, était saisissant. Abdel déglutit péniblement, et Mathilde remarqua sa pomme d'Adam trembler légèrement. Marlène aussi avait les lèvres pincées. Et derrière elle, Chloé, Eddy, Océane, Mathis… Tous observaient en silence la scène. Seule la prof ne semblait pas voir ce qui se passait autour d'elle.

Enfermée dans son beau projet : emmener ses élèves au CPP. Elle les avait rejoints devant la grande vitre.

— Vous aurez remarqué comme le CPP est très attentif au confort de ses pensionnaires. Les princesses bénéficient d'un air régulé, d'une lumière adaptée et d'une alimentation parfaitement étudiée, le tout sous un constant contrôle médical. Tout est ici pensé pour leur santé et leur bien-être. Observez comme chacune peut s'adonner à son activité favorite. Ici, la pâtisserie... Là, le jardinage.

Dans la vitrine suivante, Cendrillon, vêtue de sa somptueuse robe de bal, pataugeait en effet dans une bande de terre grasse, passant et repassant avec son arrosoir dans une allée déjà visiblement gorgée d'eau. Une petite pancarte au bout de la bande de terre précisait que ces plants à demi moisis étaient censés donner des citrouilles. Mme Lheim secoua la tête :

— Évidemment, ces occupations peuvent sembler désuètes à l'heure du fast-food et des repas cuisinés... Une incompatibilité qui justifie notamment ce CPP... Peau d'âne résisterait-elle à une pizza ? Et si elle buvait des sodas, risquerait-elle de... Mon Dieu, non.

— Vous voulez dire qu'elle risquerait de roter, M'dame ? demanda Abdel de son ton le plus innocent, celui du premier de la classe soucieux de tout bien comprendre.

— Oui, puisqu'elle ne peut évacuer par l'arrière. J'imagine que les princesses n'ont pas de trou au derrière ? continua Marlène en l'imitant.

— Pas de trou du cul princier, hormis le prince lui-même, conclut tout bas Abdel.

Et Mathilde, avec le reste de la classe, ne put une nouvelle fois se retenir de rire. La prof, embarrassée, les fit avancer en marmonnant des « Pas de vulgarités ! Je vous rappelle, pas de vulgarités ! » Mathilde les suivait, se demandant bien ce que le corps pouvait avoir de si vulgaire. Est-ce que la reine d'Angleterre ne faisait pas caca comme tout le monde ? Cette pruderie qui obligeait les princesses à se nourrir par intraveineuse était ridicule. Ridicule et terriblement injuste. Mathilde adorait les pizzas.

Elle arriva devant une princesse à la chevelure infiniment longue, qui peignait sur les murs de sa cellule des têtes de punks hirsutes et des sigles obscurs.

Le cœur de Mathilde s'arrêta net. Dans l'entrelacs de lettres, elle venait de reconnaître, en caractères roses, les mots « #CHARMING HELP ». L'information avait filtré. Était-ce prévu ? Mathilde se rendit compte qu'elle ne savait rien du programme de ses amis... Elle eut la désagréable sensation d'être un pion, bien vite remplacée par une autre, à la fois plus douce et plus forte, plus chaude aussi, le genre de sensation que l'on enfile comme un manteau : celle d'être un maillon. Elle était reliée aux Charming, ils formaient ensemble une chaîne solide.

Raiponce avait repris son pinceau de rose et traçait consciencieusement de belles lettres en pleins et déliés.

Une vraie écriture de princesse. Chacun était suspendu aux courbes délicates, quand le mot apparut dans sa splendide évidence : « *Fuck off* ».

Mathilde ravala de toutes ses forces un fou rire et s'arrangea pour mettre sa micro-caméra bien en face. Décidément, cette opération réservait de nombreuses surprises. Elle s'était préparée à encaisser le stress, la peur, l'échec, mais pas la bonne humeur. Au fond, c'était assez joyeux de faire la révolution. Peut-être simplement le sentiment d'avancer dans la bonne direction. Mme Lheim secoua tristement la tête :

— Raiponce a été terriblement affectée par la modernité... Espérons que les docteurs parviennent à faire quelque chose pour elle. Vous n'imaginez pas toutes les menaces qui pèsent sur ces pauvres princesses !

— En effet, grinça Abdel, leur situation est un peu flippante.

Il leva la tête, et toute la classe avec lui balaya du regard les caméras, les écrans de contrôle, les vitrines pare-balles, les docteurs dans l'ombre... Mais la prof poursuivait :

— Autrefois les sorcières, les ogres, les dragons, et aujourd'hui le chômage, la pollution, le terrorisme... Leur équilibre reposait tout entier sur un écosystème dépendant des princes charmants. Quand la galanterie est passée de mode, accusée de sexisme, les princes ont disparu et les princesses ont dû s'adapter, se battre, travailler... et leur lignée s'est éteinte.

Sa bouche se tordit en un regret lifté. Mathilde calcula que sa prof avait dû grandir pendant les glorieuses années Disney. Elle avait peut-être même attendu un prince, elle aussi, en chantonnant « Un jour mon prince viendra ». Sérieux, il fallait être sacrément naïf pour croire en la figure d'un type dont l'unique intérêt était de faire carpette à princesse... L'adolescente composa machinalement la petite annonce.

Cherche homme bon, riche et intelligent, pour sauver la vie d'une gourde dans le pétrin. Excellente présentation, coiffure impeccable et dents blanches exigées. Pas de salaire, pas de vacances, pas d'horaires, c'est pour *ever after*.

Qui voudrait du job ? Même à l'époque de Mme Lheim, les petits garçons préféraient le rôle de super-héros. Le prince charmant n'avait jamais été qu'un fantasme, un fantôme, un costume que Mathilde et ses amis avaient décidé d'enfiler. Par la magie du virtuel, le prince charmant prenait vie et s'appelait Charming. Un prince bien différent, évidemment.

— Tenez, en parlant de sexisme... Vous avez forcément entendu parler du scandale de la Belle au bois dormant... Avec la question qui reste en suspens : la princesse était-elle ou non consentante ? Souhaitait-elle vraiment que le prince l'embrasse ? Et comment pouvait-il s'en assurer si elle était inconsciente ? Un vrai casse-tête... Dans le doute, les médecins du centre ont préféré la maintenir dans un coma artificiel. Ils l'ont installée dans cette cellule verrouillée. Ici, il ne peut rien lui arriver.

Rien. Vraiment rien. Dans la vitrine, la jeune fille de seize ans à peine dormait à poings fermés, délicatement posée sur un lit de soie blanche et entourée de roses d'aubépines en fleur. Elle ressemblait à une jeune morte, et le cœur de Mathilde se serra de nouveau. Elle aussi aurait eu envie de l'embrasser, comme une grande sœur pas si grande que ça, qui porterait un drame trop lourd pour ses bras. Elle camoufla un début de larme. Le clignotement vert des caméras de surveillance s'insinuait sous ses paupières. Il fallait qu'elle garde ses émotions pour elle. Elle devait absolument avoir l'air naturel.

— Venez, venez, nous allons passer à la zone aquatique. Suivez-moi.

Mathilde sentit son sang s'accélérer encore. Elle serra plus fort le trombone. La Petite Sirène... Elle l'avait accompagnée sous forme de peluche pendant ses premières années de maternelle, et trônait encore aujourd'hui sur l'étagère près de son lit. C'était son héroïne à elle. Le super-pouvoir de respirer sous l'eau l'avait toujours fascinée, et Mathilde s'entraînait consciencieusement à chaque bain sans jamais dépasser la minute. Mais la Petite Sirène était bien plus que cela. Mathilde admirait sa curiosité et son courage, ce besoin d'aller ailleurs, toujours plus loin, d'aller au-delà de ce que la vie et sa famille avaient prévu pour elle. C'était elle qui avait sauvé le prince, non l'inverse ! Une princesse moderne avant l'heure. Dans la version originale d'Andersen, il n'y avait pas de *happy end*. Le prince en épousait une autre, mais la sirène refusait de se venger et préférait se sacrifier. Pas de marche arrière. Pour cela aussi, elle l'admirait.

Le centre s'était visiblement donné beaucoup de mal pour reproduire un décor de fond marin : une couche de sable blanc, quelques coquillages en plâtre, une cascade de fausses algues, et bien sûr l'eau bleue que des spots lumineux rendaient presque phosphorescente. Féerique. Seule dénotait la petite sirène elle-même. Les écailles un peu ternes, les cheveux de travers. On lui avait interdit les fourchettes de peur qu'elle ne se blesse, elle ne pouvait plus se coiffer. Mme Lheim aussi fit la moue.

— C'est très regrettable ! Il y a quelques années, le centre organisait des spectacles sirène et dauphins extraordinaires !

Mais une association de protection des animaux a fait libérer les dauphins. Maintenant, la sirène s'ennuie.

En effet, elle s'ennuyait. C'était l'ennui faite femme. Enfin, femme et poisson. Elle barbotait, patouillant le sable. Mathilde s'approcha. Elle entendit chantonner :

— Moi, je voudrais parcourir le monde...

Mathilde enchaîna :

— ... moi, je voudrais voir le monde danser.

La petite sirène, surprise, avait relevé la tête. Mathilde ne put se retenir :

— Il n'y en a plus pour longtemps, tiens bon.

Une promesse comme une bouteille à la mer. C'était la seule bouée de sauvetage que Mathilde pouvait offrir à l'héroïne de son enfance. Celle dont elle admirait les aventures dans un grand livre illustré avant de s'endormir. Celle qui l'emmenait en rêve dans ses palais de nacre aux mille et une merveilles. Celle qui lui avait donné le goût du combat et du sel, ce penchant peu rationnel à nager contre le courant. Elles restèrent longtemps, toutes les deux, les yeux dans les yeux. Et peu à peu, le sourire de l'une passa sur les lèvres de l'autre.

Le clignotement vert des caméras vira au rouge. C'était le signal. Mathilde s'assura que toute la classe était occupée à écouter Mme Lheim raconter son histoire de sirènes grecques, celles pourvues d'ailes, qui dans l'Antiquité déchiquetaient les marins perdus. Mathilde glissa le long du mur jusqu'à la porte de sortie de secours qu'elle entrouvrit. En dépit des divers panneaux d'avertissement, l'alarme resta muette. Ils avaient réussi : les Charming contrôlaient le système de sécurité. Elle bloqua le loquet de fermeture à l'aide du trombone, comme on le lui avait montré, et rattrapa le groupe au milieu de l'épisode d'Ulysse. Elle lança un regard en direction de la Petite Sirène. Elle lui souriait franchement à présent. Peut-être qu'elles se reverraient au bord de l'océan. Ou peut-être pas.

La suite de l'opération ne la concernait plus. Mathilde n'était que le cheval de Troie. Sa mission était simple et essentielle : introduire dans le centre un téléphone actif en guise de modem pour que ses amis entrent dans l'intranet, récupérer des images pour les diffuser sur le réseau et mettre l'opinion publique de leur côté, et enfin ouvrir une faille dans le système de sécurité. Rien de plus, rien de moins. Des ordres qu'elle s'était contentée de suivre. Parce que ce n'était qu'une gamine, la tête farcie de contes de fées ; qui pourrait l'en accuser ? Le réseau Charming était vaste, dispersé et anonyme. Elle pouvait bien se faire attraper, la police ne pourrait rien en tirer. Le temps de reconstituer le puzzle, les princesses seraient en sécurité, ou plutôt en liberté, avec tout ce que cela comporte de risques, de surprises, de vie.

Les associations de sauvetage qui prendraient le relais savaient ce qu'elles faisaient. Des lieux avaient été repérés, préparés, les procédures longuement répétées.

Mathilde se dirigea vers les toilettes.

Elle décrocha la micro-caméra de son sweat, sortit son petit portable, et tapota :

« LittleMermaid @Charming, c'est parti. »

Le plan était lancé et rien ne pourrait l'arrêter. Car ce que n'avaient pas compris Mme Lheim et tous les nostalgiques du « il était une fois », c'est que l'héroïsme du XXIe siècle était d'une nature tout à fait nouvelle : il était collectif. Mathilde était une goutte d'eau, mais ensemble ils formaient une vague que jamais personne ne pourrait figer dans une piscine de plastique doré.

Elle tira la chasse d'eau qui emporta la carte SIM et la caméra, comme convenu. Elle réinstalla sa propre SIM, et fut bombardée d'une cascade de messages WhatsApp. Ils venaient tous de son groupe de classe. Visiblement, elle n'était pas la seule à ne pas avoir obéi à la consigne ! Elle balaya d'un coup d'œil la discussion. Le ton y était sarcastique :

« Bienvenue au CPP : Centre Pénitentiaire pour Princesses. »

« Ils sont graves avec leurs poupées vivantes... »

« Haha ! Raiponce parfaite ! »

Jusqu'à l'emballement des derniers messages :

« Délire !! Des vidéos sont en ligne !! »

« #charming est parmi nous ! »

« Dingue ! »

« Partagez, partagez, avant que ce soit effacé ! »

« Libérez les princesses !! »

« Bravo #charming ! »

Ouf, elle s'était débarrassée du matériel juste à temps ! Ils allaient à présent se faire fouiller à la sortie. De quoi occuper les gardes pendant que les autres interviendraient. De toute façon, c'était trop tard, le monde entier découvrait les cernes de la Princesse au petit pois, la mine de Peau d'âne, les tocs de Cendrillon... Bientôt, tout le monde saurait.

Alors, Mathilde rejoignit sa classe... Les messages qu'elle venait de lire résonnaient dans son esprit. Oui, bravo les Charming, bravo à tous, et bravo aussi à ses camarades qui allaient maintenant diffuser l'info, la faire grandir, gronder... Alors, pour la première fois, Mathilde eut envie de se connecter avec leur réalité. Elle s'approcha d'Abdel et de Marlène. Ils avaient l'air sympas ces deux-là, au-delà de leurs vêtements griffés. Ils étaient dans un débat intense, pronostiquant le menu qui les attendait à la cantine.

Une conversation idiote et enjouée, juste un peu d'amitié.

Alors Mathilde prit son courage à deux mains, et plongea :

— Un velouté de petits pois, peut-être ?

— Avec un soufflé de citrouille, répliqua Abdel.

— Et un carpaccio de thon... proposa Marlène.

— Ou peut-être du poulet, souffla Mathilde en apercevant à la sortie les gardes en uniforme qui attendaient la classe.

Et ils s'avancèrent tous les trois en riant, suivis des autres élèves, et de Mme Lheim tellement, mais tellement soulagée qu'il ne se soit rien passé.

Il était une fois un roi et une reine magnifiques qui régnaient sur une île entourée d'une mer cristalline.

Perché en haut d'une falaise, leur château de pierres noires était décoré de sculptures de serpents ialures. Et les murs intérieurs étaient couverts de miroirs dans lesquels aimaient à s'admirer les sujets du royaume, tous plus beaux les uns que les autres.

Il leur naquit une fille qu'ils nommèrent Ari.

La petite princesse poussa son premier cri et son visage devint jaune comme le mimosa. Le roi et la reine échangèrent un regard inquiet et tendirent leur bébé à sa nourrice.

La petite princesse fit un premier rot satisfait et son visage noircit comme la cendre. Le roi et la reine eurent un mouvement de recul.

La petite princesse s'endormit paisiblement et ses parents virent avec horreur le duvet sur son crâne rougir.

Ils s'affolèrent et firent appel au grand sorcier Botul, maître de la beauté. Celui-ci contrôlait les moindres détails de l'apparence de chaque habitant, de sa naissance à sa mort. Les traits devaient être réguliers, les nez fins, les dents blanches, les peaux hâlées, les silhouettes fines et musclées. En cas de disparité, Botul utilisait le venin des ialures, violent paralysant à effet immédiat. Il en extrayait une substance pour lisser les visages et les corps.

Ses remèdes étaient devenus indispensables aux courtisans.

On comblait les premières rides, on rigidifiait le flétrissement des peaux, on rééduquait les façons de marcher, on redressait les dos voûtés, on gonflait les lèvres trop fines, on aplatissait les bosses sur les nez.

Les enfants ne marchaient ni les pieds en canard ni les pieds en dedans.

Il était interdit aux vieillards de rester édentés.

Le sorcier ausculta Ari, mais ne diagnostiqua aucune maladie grave. Il nota sur un carnet les teintes de la princesse et promit de trouver une solution si ce phénomène se reproduisait.

Quelques semaines plus tard, une foule fervente se rassemblait dans la salle de cérémonie pour célébrer le baptême d'Ari.

Botul avait été choisi comme parrain de la princesse. Il l'attendait près d'une cuvette d'argile, remplie d'un onguent préparé à partir du venin de ses serpents. Mais rassurez-vous, il ne s'agissait en aucun cas de paralyser la princesse ; non, l'immersion d'Ari était censée la guérir de ses changements de couleurs, si dérangeants aux yeux de tous.

En particulier aux yeux de ses parents.

Leur légitimité reposait sur leur adéquation aux critères officiels de beauté, critères qui étaient gravés dans le marbre depuis des temps immémoriaux.

La princesse devait donc être la plus belle des enfants de la cour, et la plus parfaitement conforme de toutes.

Botul prononça les incantations du baptême de sa voix sifflante. Il tenait sa filleule entre ses mains maigres. Quelques-uns dans l'assistance s'intéressaient au rituel, mais plus nombreux étaient ceux dont les regards se perdaient dans les miroirs accrochés aux murs. Ils grimaçaient pour étirer leurs traits...

Le grand sorcier tendit les bras vers la cuvette et plongea le corps du bébé dans l'onguent.

Au contact de la substance huileuse et malodorante, Ari poussa un hurlement de rage si aigu que des glaces explosèrent. Son visage jaunit jusqu'à la racine de ses cheveux bleus, et ses gencives verdirent.

Fascinés par cette terrible transformation, les spectateurs en oublièrent leurs propres reflets. L'assistance s'agita.

Le roi et la reine frémirent de honte.

Impassible, le sorcier acheva l'office.

Puis il renouvela son serment au roi et à la reine : il consacrerait son temps à remédier au mal de sa filleule.

Mais la princesse grandit sans que le sorcier ne trouve le moindre traitement. Il essaya tout : cataplasme, injection, infusion, inhalation, gargarisme, piqûre et bouillon.

Rien n'y fit.

Aucune formule ne rendit la princesse plus normale aux yeux du monde.

Elle mettait, à elle seule, en péril l'harmonie du royaume.

Elle fut, vous vous en doutez, la cible des moqueries des autres enfants. Au départ, chaque insulte la blessait. Son visage et ses dents devenaient alors orange de honte, sa chevelure violette.

Elle essayait bien sûr de contrôler ces apparitions de couleurs inopinées, mais comprit vite qu'elle n'y pourrait rien.

Elle était faite comme ça : de colère, ses cheveux bleuissaient, ses dents verdissaient et son teint jaunissait. Quand elle était joyeuse, ses cheveux rougissaient autant que ses dents et son visage grisonnaient, voire noircissaient. Jaunes d'espoir, ses cheveux viraient orange sous le coup de l'impatience et rosissaient de tristesse. La curiosité les rendait verts.

À chaque émotion, sa couleur.

Telle était Ari, princesse de l'île.

Des rumeurs coururent alors sur le roi et la reine. Ils avaient donné naissance à une fille anormale. Leur perfection fut remise en cause. Leur droit de régner aussi. Ça persiflait à la cour.

La paix du royaume était menacée.

Botul incita les souverains à mettre au monde un nouvel héritier : ils prouveraient ainsi qu'Ari était une anomalie dont ils n'étaient en rien responsables…

Puis il leur conseilla d'isoler la princesse dans une tour, pour la faire oublier.

Les semaines, les mois et les années défilèrent sans que la princesse ne quitte sa chambre. Elle avait maintenant treize ans. Ses parents avaient confié à des précepteurs la charge de lui enseigner toutes les matières, en particulier les sciences, la géographie et l'histoire de son royaume.

C'est ainsi qu'Ari apprit un jour, à sa plus grande surprise, que des tribus sauvages habitaient sur l'île. Elle n'en avait jamais entendu parler auparavant et voulut tout savoir de ces inconnus, mais ses professeurs n'avaient visiblement aucune envie d'approfondir le sujet. Des rumeurs couraient sur la laideur de leurs visages et la difformité de leurs corps. On parlait d'hommes et de femmes verts, vivant dans la forêt, et d'un peuple dégoûtant et misérable, occupant les falaises.

Le visage menthe à l'eau de curiosité, la princesse sentit qu'il était grand temps de s'échapper de ce château où personne ne voulait d'elle, et de découvrir le reste de l'île. Ne se regardant pas dans les miroirs, elle ne vit pas ses dents se teinter de bleu turquoise, ni l'arc-en-ciel se répandre sur ses mèches, rassemblées en queue-de-cheval : Ari était portée par l'espérance de rencontrer, enfin, des gens différents.

La nuit même, elle s'enfuit.

Protégée des regards par une capeline sombre, Ari longea des falaises pendant de longues heures. Au loin, la mer dansait à la lumière de la lune.

Un chemin broussailleux la mena jusqu'à une plage de galets. Les marées avaient creusé des grottes dans la paroi rocheuse. Elle s'aventura à l'entrée de l'une d'elles. Des assemblages de coquillages dessinaient des formes mystérieuses sur les murs de calcaire. Allongés sur le sol, autour d'un feu, deux enfants dormaient entre leurs parents. Les flammes éclairaient leurs corps, couverts d'algues brunes, gélatineuses et humides. Ari n'avait jamais vu d'anatomie aussi étrange, dans aucun de ses livres. Leur peau n'était pas *humaine*. L'un d'entre eux bougea dans son sommeil, révélant aux yeux d'Ari ses pieds palmés, constellés de corail. La princesse, mauve de surprise, eut un mouvement de recul.

Quelque chose de froid et de piquant lui toucha l'épaule.

— Qu'est-ce que tu fais là ?

Une fille, qui avait à peu près son âge, pointait son harpon sur elle d'un air menaçant. Ses boucles dégoulinaient jusqu'à sa taille. Elles étaient ornées d'étoiles de mer scintillantes. Son corps était parsemé d'algues et Ari comprit que c'était en fait son vêtement et non sa peau.

— Je veux rencontrer le peuple des falaises, répondit la princesse.

Son visage passa par toutes les couleurs tant les émotions qui la traversaient étaient intenses et variées. Et je ne vous parle pas de ses dents, un vrai feu d'artifice ! La fille en resta bouche bée et baissa son harpon.

— Tu portes le reflet des galets ! s'exclama-t-elle.

— Des galets ?

La fille prit Ari par la main et l'entraîna vers la rive. Le jour se levait. Les berges rayonnaient de mille teintes papillonnantes.

— Regarde ! Ils changent de couleur, comme toi !

C'est ainsi que la princesse fit la connaissance de Colisa, fille de la falaise, qui devint dès leur première rencontre sa meilleure amie.

Elles ne se quittèrent plus.

La communauté de pêcheurs accueillit la princesse. Une grotte lui fut attribuée. Ari se sentait bien parmi eux. Pas un pour la rejeter. Colisa lui expliqua que les souverains avaient interdit à son peuple de se rendre au château. Des soldats du royaume récupéraient quotidiennement sur la berge les poissons destinés à la cour.

Afin de ne pas être repérée, la princesse s'habitua à recouvrir son corps d'algues. Colisa tressa ses mèches multicolores avec des coquillages. Ainsi camouflée, Ari était méconnaissable.

Mois après mois, la fille des falaises l'initia aux secrets de la mer, aux tourbillons d'eau et aux courants redoutables.

Un matin d'été, elle désigna à Ari des petites bosses noires, qui flottaient comme des bouées à la surface de l'eau. Aussi lisses et brillantes que des billes, ces formes paraissaient inoffensives.

— Ne te fie pas aux apparences, ce sont les sommets de rochers aimantés qui s'enfoncent profondément dans la mer, la mit en garde Colisa. Ils sont très dangereux. Si un navire s'en approche, ils en arrachent les clous et le disloquent jusqu'à ce qu'il coule.

— L'île est donc inabordable ? s'étonna la princesse.

— Il n'y a qu'une voie possible pour accoster, de l'autre côté de l'île, là où se jette la rivière. Là où le monstre des mers vient s'abreuver, dit-elle en grinçant des dents.

— Le monstre des mers ?

Et Colisa révéla à la princesse l'existence de l'ignoble créature qui terrifiait leur côte depuis la nuit des temps. Il était si énorme qu'il avait absorbé des îles entières. Certains héros avaient tenté de le combattre. Il s'était vengé en aspirant les rivières pour assécher leurs terres.

— Mais comment notre île résiste-t-elle à ses attaques ? s'étonna Ari.

— Tu ne le sais donc pas... Depuis des décennies, ton peuple lui offre en sacrifice une jeune fille de treize ans à chaque nouvelle saison, murmura Colisa comme si elle avait peur que le monstre ne l'entende du plus profond des abysses.

— Comment est-ce possible ? Je le saurais si des filles du royaume avaient été enlevées !

— Les filles du château ne sont jamais sacrifiées. Seuls des membres du peuple vert ou de la falaise sont donnés au monstre.

Le peu d'admiration que la princesse gardait pour les souverains et leurs dignitaires disparut.

Plus que tout autre, elle détesta son parrain.

Le grand sorcier n'aurait-il pas pu lutter contre le monstre, au lieu d'œuvrer pour s'enrichir et augmenter son influence à la cour ? Les joues striées de rayures jaunes et roses, Ari fixa son amie (qui, elle, était toute blanche).

— Risques-tu d'être sacrifiée toi aussi ?

Ses doigts crispés sur son harpon, Colisa baissa la tête.

— Mon tour pourrait venir bientôt, souffla-t-elle.

— Les seigneurs du royaume sont des lâches ! cria Ari, le visage doré de rage.

Il lui fallait agir. N'était-elle pas, après tout, la princesse de l'île ?

— Je mettrai un terme à tout ça, poursuivit-elle, les cheveux bleus.

Colisa acquiesça. Et elles se firent la promesse de combattre ensemble le monstre.

La princesse parla aux plus anciens des pêcheurs. La voix tremblante de peur, ils lui relatèrent le déroulement des sacrifices. Selon eux, la bête était invincible. Ari réfléchissait. Les habitants des falaises n'étaient ni assez forts ni assez nombreux pour vaincre un ennemi aussi puissant. S'ils attaquaient le monstre, celui-ci ne ferait qu'une bouchée d'eux.

Un plan se mettait en place dans son esprit.

Un plan qui éviterait un massacre.

Mais pour cela, il leur fallait des alliés.

Elle décida de partir en quête du mystérieux peuple vert.

— Personne n'est jamais revenu de leur forêt. Ils sont impitoyables, l'avertit Colisa.

— Nous avons besoin d'eux, répliqua Ari. Une alliance avec leur tribu est notre seule chance de gagner. Sais-tu comment accéder à leur territoire ?

— Par la rivière. Elle seule traverse le cœur impénétrable de la forêt où ils vivent. Sa source est au sommet du volcan Prédok.

— Très bien. Nous partirons demain.

Les deux filles escaladèrent donc les flancs abrupts de la montagne noire et atteignirent le cratère, point culminant de l'île.

Des fumerolles jaillissaient autour d'elles. Leurs tuniques d'algues humides les protégeaient des jets de gaz.

Mais la chaleur qui montait du sol leur brûlait les pieds. Sautillant sur place, elles finirent par débusquer la source bouillante, sortant des tréfonds de la terre.

Elles longèrent ensuite les rives escarpées.

Au bout d'une heure de marche, la végétation se fit plus dense, des chênes bordaient la berge.

Des hommes verts, en tuniques de feuilles, grimpèrent aux arbres en les apercevant. Ils sifflèrent à la manière des merles pour alerter le reste de leur tribu. Aucun garde royal n'avait jamais pu mettre la main sur eux. Ils ne laisseraient pas deux jeunes filles envahir leur forêt !

Les nattes de la princesse rougirent, ses joues verdirent.

— Nous allons enfin rencontrer nos futurs alliés ! s'extasia-t-elle.

— Espérons qu'ils seront accueillants...

De la plus haute branche d'un peuplier, la cheffe de la tribu, qu'on appelait Eyla-l'Indomptée, entendit les deux intruses. Elle s'apprêta à les capturer sans sommation, comme elle l'avait fait de tous ceux qui avaient tenté de pénétrer dans son territoire jusqu'alors. Mais son fils, assis à ses côtés, stoppa son geste.

— Attends, mère ! Regarde ! Cette fille change de couleur, elle n'est sûrement pas à la solde des souverains et de Botul !

C'est ainsi que Drévo, fils d'Eyla, sauva Ari et Colisa de la colère de son inflexible mère.

Sa peau était diaphane, presque translucide, teintée de reflets verts, et son corps avait une odeur de chlorophylle.

Après avoir remercié le garçon et s'être présentée, la princesse leur proposa de s'unir contre le monstre. Elle leur exposa son plan, et leur dévoila notamment l'existence des ialures et de leur venin fatal, qui peut-être les sauverait.

Eyla-l'Indomptée l'écoutait en scrutant les arbres. Leurs cimes ondulaient au vent, leurs feuilles cuivrées tourbillonnaient. Elle pensait à l'hiver qui approchait à grands pas.

Et elle pensait au monstre.

À cette menace constante qui pesait sur les filles de sa tribu.

— Rejoignons leurs rangs, mère ! s'exclama Drévo. Débarrassons-nous définitivement du monstre et nous serons libérés de cette peur !

Eyla-l'Indomptée leva les yeux vers l'étrange princesse dont la chevelure lui rappelait le feuillage d'automne jaune, orangé, vert... Elle lui sourit, du sourire ferme de celle qui s'engage et ne revient pas sur sa parole.

Et elle conclut une alliance avec les jeunes filles.

Son peuple insoumis s'engagerait à leurs côtés pour éliminer le monstre.

Drévo, Colisa et Ari devinrent amis et passèrent le mois qui suivit à préparer le combat. Ils découvrirent l'endroit où le monstre s'abreuvait quand il venait chercher ses proies. Une cascade plongeait vers la mer le long d'une falaise à pic. Colisa explora sa paroi. Ses pieds de corail s'accrochaient naturellement à la roche, elle était aussi à l'aise qu'une araignée sur sa toile. Elle découvrit un renfoncement dans la pierre, derrière la chute d'eau. Il leur servit de repaire. De là, invisibles, ils peaufinèrent ensemble leur plan.

Qu'il vente ou qu'il pleuve, ils s'activaient, inépuisables. Une fois, on les aperçut qui repéraient des lieux. Une autre fois, ils semblaient mesurer des distances. Un matin, un pêcheur les surprit de sa barque : ils suspendaient des cordes au-dessus de la cascade. Le lendemain, ils creusaient des chemins avec des hommes de la forêt.

L'amitié entre eux se renforça, devenant rapidement aussi solide que la pierre du volcan. Ari n'avait aucun secret pour Colisa et Drévo. Ils interprétaient ses mille et une couleurs. L'aurait-elle voulu, la princesse ne pouvait rien leur cacher.

Malheureusement, leurs expéditions finirent par attirer l'attention des gardes du royaume, qui en informèrent le grand sorcier Botul. Celui-ci espionna les allées et venues de cet énigmatique trio avec une longue-vue et reconnut bientôt sa filleule. Ses émissaires le renseignèrent sur l'identité des deux autres en moins d'une journée.

Il ricana. Il tenait enfin le moyen de soumettre la princesse.

Dès le lendemain, à l'heure du dîner, la plage de galets fut envahie d'émissaires du roi. Les trompettes précédèrent l'annonce officielle :

— Colisa, fille des falaises, a l'honneur d'être désignée par le grand sorcier pour le sacrifice du solstice d'hiver. L'offrande se déroulera dans sept jours. Grâce à elle, la paix perdurera sur l'île et notre peuple sera sauvé.

Les feuilles sur le corps de Drévo se hérissèrent, Colisa pâlit et les cheveux d'Ari prirent la teinte d'une nuit d'été. La couleur vert pomme de ses dents était inédite.

— Plus tu es multicolore, plus je lis en toi, sourit tristement Colisa.

Des larmes coulaient le long de ses joues, mais ses yeux étincelaient de colère. Ari prit les mains tremblantes de son amie dans les siennes.

— Nous ne baisserons pas les bras, Colisa. Il nous reste encore une semaine pour agir. Fais-moi confiance, nous serons prêts pour le combat.

La veille du sacrifice était un jour de réclamation : ce jour-là, les lois de l'île donnaient le droit à chacun de se présenter à la cour pour demander conseil et justice aux souverains. Ari se rendit au château. Elle n'y était pas retournée depuis sa fuite. Et personne n'avait semblé s'émouvoir de sa disparition.

La jeune fille se planta devant la porte : « Moi, princesse Ari, demande audience au roi et à la reine. »

Escortée par deux gardes royaux, elle traversa la vaste salle, cette salle même où elle avait été baptisée des années auparavant.

Assis sur leurs trônes, ses parents l'attendaient. À leurs côtés, deux petits sièges d'or étaient occupés par une fillette et un garçon, vêtus d'habits luxueux.

Ari comprit qu'elle avait un frère et une sœur.

Debout derrière la reine, Botul fixait sa filleule d'un regard dur. Ses lèvres frémirent de haine quand elle s'agenouilla devant les souverains. S'il avait pu, il l'aurait arrêtée sur-le-champ.

— Relève-toi, Ari. Fais-nous part de ta requête, dit le roi.

La reine leva ses yeux mélancoliques vers sa fille. Ses traits s'étaient creusés, des plis d'amertume entouraient sa fine bouche.

— Demain, j'anéantirai le monstre des mers, annonça la princesse. Et je réclame trois choses pour y parvenir.

Un tumulte secoua l'assistance.

— Silence ! ordonna le grand sorcier.

— Quelle folie te prend, Ari ? demanda sa mère doucement.

Le masque impassible de la reine se fissurait. En revoyant sa fille si pleine d'assurance, elle comprit à quel point elle lui avait manqué. Jamais elle n'aurait imaginé que la princesse reviendrait avec une telle requête. Et elle avait du mal à accepter de la retrouver pour la perdre aussitôt.

— Je peux le vaincre, mère. Ma victoire dépend de votre réponse. Je vous demande de me faire confiance.

— Que requiers-tu ?

— J'ai besoin d'une tonne d'onguent de votre sorcier. J'ai besoin de tous ses serpents ialures. Et j'ai besoin de vos vingt canons.

Botul grinça des dents.

— Il en est hors de question. Voyez, mes seigneurs, la folie a envahi l'esprit de la princesse. Sa dégénérescence physique s'est répandue à l'intérieur de son âme.

Le roi et la reine gardaient un silence incertain. La voix cristalline du petit prince résonna soudain :

— Qui est le monstre des mers, maman ?

— Nous te l'expliquerons plus tard, répondit la reine.

— Qu'on fasse taire cette importune ! fulmina Botul.

Mais avec un impressionnant aplomb jaune, bleu et vert (moucheté d'un étonnant marron chocolat), Ari fit un pas en avant.

— Si vous refusez de m'accorder les trois éléments que je demande, je les prendrai de force, contre votre gré. Sachez que le peuple des falaises et la tribu des forêts sont avec moi.

Ils sont d'ores et déjà positionnés à leurs postes. Prêts à s'emparer du château, à envahir le laboratoire, à emporter les onguents et les serpents.

— C'est une infâme rébellion. Gardes, saisissez-vous d'elle ! cria Botul.

Mais le roi se leva brusquement. Il frappa trois fois sur le sol avec son sceptre et toute la cour se figea.

— Taisez-vous, Botul. Je suis encore le roi, pour autant que je le sache. Et les décisions qui ont trait à la sécurité de notre île m'appartiennent. Je veux éviter cette révolte. Que l'on donne à la princesse Ari les éléments qu'elle réclame.

— Merci père, murmura Ari.

— Je n'ai pas fini. Si elle échoue, la princesse Ari sera bannie pour toujours et ses complices exécutés. L'assemblée est close.

Le regard d'Ari glissa de sa mère aux deux enfants. Ils la contemplaient de leurs immenses yeux clairs. La reine se pencha vers eux, leur chuchota des mots à l'oreille et ils saluèrent leur sœur de leurs petites mains potelées. Le cœur de la princesse bondit dans sa poitrine, ses joues devinrent grises comme un ciel d'hiver. Un champ de coquelicots sembla fleurir d'un seul coup sur sa tête. Et quand elle ouvrit la bouche, on aurait dit un panier de petites cerises. Puis une réminiscence de sa honte d'enfant l'envahit. Et son visage vira à l'orange. Elle s'apprêtait à repartir quand un rire émerveillé rompit le silence.

— Que ma grande sœur est belle ! s'écria le petit garçon en tapant dans ses mains.

— Oh oui, je voudrais les mêmes couleurs qu'elle ! riait sa petite sœur.

— Moi, je souhaite que vous ayez autant de courage, mes chers enfants, ajouta la reine avec tendresse.

Alors, Ari leur sourit de toutes ses dents, qui étaient, vous vous en doutez, toujours rouges de joie.

Puis elle leur tourna le dos.

Un rude combat l'attendait.

Alors qu'Ari faisait emporter ses fioles et ses ialures, Botul, fulminant, l'invectivait :

— Quelle naïveté ! Quelle arrogance ! Une pauvre princesse comme toi ne parviendra jamais à tuer ce monstre !

Mais ses paroles n'ébranlèrent jamais la détermination d'Ari.

Eyla-l'Indomptée fut nommée responsable des canons. Chacun pesait plus de cinq tonnes. Les membres les plus robustes des deux tribus portèrent le lourd attirail militaire jusqu'au bord de la falaise.

Les autres se mirent en route sur les chemins creusés durant l'automne. Transportant l'immense vivarium, avec mille précautions, ils traversèrent l'île jusqu'à l'endroit où le monstre viendrait.

Drévo attacha alors la cage en verre, grouillante de serpents, aux cordes qu'il avait fixées au-dessus de la cascade. Il la fit glisser jusqu'au renfoncement de la falaise où des femmes aux pieds couverts de corail la calèrent. La porte du vivarium donnait sur la mer et une corde était accrochée au levier de l'ouverture.

En quelques heures, tout fut prêt.

Il était temps que chacun se mette en position.

Ari, Colisa et Drévo se serrèrent dans les bras et se jurèrent une amitié éternelle.

Les deux filles rejoignirent le navire royal, chargé de convoyer la sacrifiée.

Elles empilèrent sur le pont des centaines de flacons du plus puissant des onguents, qui à haute dose aurait calmé un troupeau d'éléphants en panique. Entourées des plus habiles navigateurs de la communauté des falaises, elles se sentaient de taille à affronter le monstre.

Oscillant entre turquoise et jaune citron, le visage d'Ari ressemblait à une baie bordée d'une plage.

Au loin, la mer était calme. Les têtes noires des rochers aimantés ponctuaient les flots. Rien ne laissait deviner qu'un monstre habitait les profondeurs.

Nul ne savait quand il surgirait.

La nuit s'écoula, glaciale.

La lune tressaillait derrière les nuages. Un hibou hululait parfois dans le silence.

Le gel figeait la nature, le bois craquait, le froid gerçait les mains, et le vent fouettait les visages de ces femmes et de ces hommes, réunis par un même espoir.

Quand l'aube pâle se leva, enfin, on vit le monstre à la surface des flots.

Il lui avait fallu moins d'une minute pour jaillir des profondeurs. Et maintenant, tous découvraient sa gueule, aussi grosse que la cour du château. La double rangée de ses dents était pointue comme des poignards de géants, ses yeux étaient minuscules et injectés de sang.

Suivant ses habitudes, il se dirigea vers la cascade pour se désaltérer. Alors, sans perdre une seconde, Drévo tira sur la corde d'un geste ferme : la porte du vivarium s'ouvrit. Les milliers de serpents tombèrent le long de la chute d'eau et furent engloutis par le monstre.

Un soubresaut agita son corps gris. Il provoqua une vague immense.

Puis il s'immobilisa, paralysé, gueule ouverte.

Ari ordonna aussitôt au commandant du navire d'approcher au plus près de la bête figée, dont seuls les yeux rouges remuaient avec fureur. La princesse jeta sur les dents pointues les fioles, qui explosèrent les unes après les autres. La crème se répandit comme une coulée de caramel gluant autour de l'énorme tête, pénétrant dans sa bouche, ses narines et ses branchies.

Ses paupières finirent par se baisser.

Le monstre dormait.

Colisa dirigea alors son harponnage avec les plus aguerris des pêcheurs. Il leur fallut une centaine de harpons pour l'agripper à l'aide d'épais cordages et le tirer vers les roches aimantées.

Mais le navire devait bien sûr rester à distance.

Maniant avec précision les longs filins accrochés à leur proie, les pêcheurs l'entraînèrent vers les tourbillons. Ils se servirent des courants puissants pour l'expédier plus loin, jusqu'aux écueils magnétiques.

Du haut de la falaise, Eyla ordonna illico la mise à feu des canons.

Ses tireurs visèrent la gueule béante de la bête immobile. Cent boulets furent projetés dans ses entrailles. Les rochers les aimantèrent aussitôt. Les projectiles de métal furent violemment attirés vers les parois intérieures de l'animal, inéluctablement plaqué aux rochers par le flux magnétique.

Le monstre était prisonnier de la mer sur laquelle il avait régné en maître impitoyable pendant des millénaires.

Ari et ses amis avaient mis fin à sa tyrannie.

La princesse fut portée avec fierté par le peuple uni jusqu'à la porte du château.

Ses parents lui proposèrent de revenir vivre auprès d'eux, de son frère et de sa sœur.

— Je préfère rester dans ma grotte, leur répondit Ari, les joues noires.

— Nous pardonneras-tu un jour ? murmura la reine.

— Je vous ai déjà pardonnés, mère. Votre quête de perfection physique était si obsédante que vous n'étiez plus vous-même.

La reine dit alors à Botul ce qu'elle retenait depuis si longtemps :

— Vos remèdes nuisibles m'ont anesthésiée. La manière dont vous nous avez manipulés est impardonnable. Par votre faute, nous avons isolé notre fille. Elle n'avait jamais rien fait de mal. Nous l'avons exclue et méprisée. Comme nous étions aveugles, à scruter ses changements de couleur, sans la voir, elle ! Sans la voir vraiment...

Pour retrouver un peu d'aplomb et d'estime de lui-même, le roi enchaîna :

— Vous avez créé chez nos courtisans un besoin malsain. Vous les avez rendus dépendants de vos produits.

Il bannit le grand sorcier et fit détruire les miroirs du royaume. Le culte de la beauté, qui était ancré en chacun, année après année, s'atténua.

Tandis qu'au fil des saisons, le monstre pétrifié se minéralisait.

Des coquillages élurent domicile sur ses flancs, des algues recouvrirent son dos, des crevettes, des grenouilles et des poissons colonisèrent le bassin d'eau douce dans sa panse.

Il se transformait en île florissante.

Ari, Colisa et Drévo finirent par s'y installer.

Assise au sommet de l'île, qui n'était autre que la nageoire de la bête, la princesse aux mille et un reflets aimait contempler le ballet immuable des vagues aux mille et une couleurs.

CLÉMENTINE BEAUVAIS

La BELLE ET LA Bête

Il était une fois un roi et une reine qui,

comme beaucoup de leurs amis,

désiraient, plus que tout, un petit enfant à eux.

D'ailleurs, pas *un enfant* en général :

une fille.

Point final.

Il fallait que ce fût une petite princesse,

précisément parfaite.

Parfaite, cela voulait dire :

peau aussi douce qu'une plume de cygne,

odeur aussi sucrée que celle du pois de senteur,

allure aussi gracieuse qu'un roseau dans la brise,

et ainsi de suite.

Le couple royal était très entraîné à de telles exigences.

Ils avaient toujours été totalement certains de ce qu'ils désiraient, et exerçaient en toutes choses un contrôle absolu. Tout était calculé dans leur vie, et dans leur royaume,

depuis l'architecture de leur château à cent treize pièces

jusqu'à la taille des brins d'herbe du terrain de tennis,

et la proportion truffe-oreilles, oreilles-queue de leurs

chiens de chasse.

C'étaient des gens   or - ga - ni - sés.

Cependant, malgré tous leurs efforts, la reine ne tombait pas enceinte.

Un an,　　　　deux ans,　　　　　trois ans passèrent,

pendant lesquels ils déployèrent

une énergie invraisemblable à concocter leur princesse

parfaite, investissant follement dans sa réussite, jusqu'à

presque épuisement.

Mais sans succès pourtant.

Chaque mois,

la reine interrogeait la lune :

— Ai-je enfin une princesse parfaite dans le ventre ?

Chaque mois,

la lune pleine plongeait dans un coin de nuage rougi.

Cela signifiait que, cette fois encore,

les désirs du roi et de la reine n'avaient pas porté leurs fruits.

Les époux étaient non seulement　　　désespérés, mais

également

outrés,

scandalisés,

choqués.

Rien, habituellement, ne leur résistait. Ils n'avaient

pas coutume qu'on leur désobéisse. Ils ne connaissaient

que la réussite.

Au bout d'un certain temps, ils décidèrent qu'une magie obscure était la cause de leur échec. Après tout, cela ne pouvait pas être de leur faute   (selon eux-mêmes),
    puisque leurs corps fonctionnaient parfaitement
                                        (disaient-ils),
    puisqu'ils étaient en tous points parfaits   (à leur avis),
    puisqu'ils étaient royaux, ayant toujours tout réussi.

    S'ils rencontraient là un obstacle, c'était donc le fait de forces malveillantes.

    Mois   après   mois,   ils entreprirent de débarrasser du royaume ce qui empêchait le ventre de la reine de se charger de leur projet.

                    La première tête qui roula
fut celle d'un enchanteur qui vivait aux abords du château, à qui la reine avait toujours reproché de semer le mauvais sort. On alla chercher l'infortuné dans le trou de l'arbre où il dormait,
        et on lui trancha la tête

            et on attacha cette tête

par la barbe (avec un double nœud)

à une branche basse.

Ensuite, périt

une jeune sorcière, que le roi et la reine accusèrent de passer

son temps à aider les paysans à concevoir des enfants

– enfants laids et stupides de surcroît –,

au lieu d'envoyer une princesse parfaite à la reine et au roi.

On vint sortir la sorcière de sa hutte à minuit et quart un soir,

et on lui ouvrit le ventre,

et on en extirpa toutes les viscères,

et on en fit des tresses (épaisses)

dont on coiffa un gros rocher.

Le troisième mort

fut un ermite qu'on alla dénicher dans sa grotte.

On ne l'avait pas vu depuis trente ans,

mais le roi se rappelait vaguement qu'étant enfant,

il avait lancé un caillou sur le déjà-vieillard,

qui avait marmonné une insulte en retour.

C'était la faute de cette malédiction, certainement, si le roi

et la reine n'avaient pas d'enfants.

On attacha le druide au pied d'une colline

et on jeta sur lui un lourd rocher,

    et ce rocher l'écrabouilla entièrement,

    et le sang gicla sur un périmètre impressionnant.

    La quatrième lune approchait,

et les magiciennes, sorciers, guérisseurs et autres enchante-
resses de la région commençaient sérieusement à trembler

dans leurs bottes   (et bottillons, sabots,

    ou simple peau,

    pour ceux qui allaient pieds nus).

Tous les soirs, ce mois-là, les communautés magiques
du royaume se rassemblèrent, pour implorer la nature
de donner à la reine et au roi une descendance. Il en allait de
leur existence.

Cependant, personne ne connaissait de solution à ce
mystère :
il n'y avait bien que les rois et les reines pour vouloir contrôler
ainsi l'univers.

Aussi essayaient-ils divers sortilèges, prières et incantations à divers dieux, déesses, nymphes et esprits des bois,
dans l'espoir que l'un d'eux miraculeusement fonctionne.

Nul ne sut jamais quel enchantement fut la cause du succès ; et peut-être qu'aucun ne le fut, et que le roi et la reine conçurent sans nulle aide magique.

Toujours est-il que, ce mois-là, quand la reine interrogea la lune, celle-ci se montra plus pleine et plus blanche qu'avant, et plus tard dans le mois, devenue croissant, elle continuait à sourire.

La reine était enceinte. La joie pouvait revenir.

Le roi et la reine organisèrent deux jours de fêtes et de grands banquets pour célébrer cette grossesse avec leurs sujets. La communauté magique respirait. Pour l'instant, chacun et chacune étaient hors de danger.

Pour l'instant seulement. Car magiciennes et magiciens espéraient maintenant que le bébé royal fût une fille,

une très jolie petite fille,

une très jolie petite fille qui sente très bon,

parfaitement princesse jusqu'au bout des boucles de ses cheveux blonds.

Ainsi attendit-on neuf mois, non sans trembler à l'occasion, espérant que l'enfant serait exactement cela, et rien d'autre que cela.

Neuf mois plus tard
(pile-poil à l'heure prévue par les docteurs)
(contrôle parfait, pour un parfait bonheur),
la reine se mit au travail. Elle accueillit dans sa chambre sa guérisseuse, et un diseur de bonne aventure

      – histoire de confirmer que

      l'enfant, une fois née,

      aurait la plus parfaite et

      fabuleuse destinée.

Le roi attendait dans ses appartements.
Il estimait qu'il n'était absolument pas de la responsabilité d'un homme que d'assister à un accouchement,

      et puis il avait d'autres choses

à faire : choisir déjà un futur époux pour sa fille à naître, dans un grand catalogue de princes des environs, certains pas tout à fait nés non plus.

Pendant douze heures,

la reine fut en labeur,   et à la treizième heure,

le bébé enfin se décida à sortir.

Cet instant justement sembla à la reine un peu étrange, car quand l'enfant quitta son ventre, la mère

eut une impression de   douce chaleur, presque un peu

pelucheuse,

et non pas visqueuse et glissante, comme elle l'aurait pensé.

Mais elle n'eut pas le temps d'y réfléchir beaucoup ;

épuisée par le long travail, elle s'évanouit sur le coup.

Et la guérisseuse et le diseur de bonne aventure furent

très reconnaissants

de cet évanouissement,

car ils avaient sur les bras un problème à résoudre rapidement.

Ce problème, c'était que le bébé   n'était *pas*

une jolie princesse pépiante –   loin de là.

Ce bébé n'était *pas*

beau.   Ce bébé ne sentait *pas*

bon.   Ce bébé   était doux, certes...

mais pas doux comme peut l'être

une peau de bébé, non...

pas doux comme le cou laiteux d'un bébé blond.

Non. Doux comme le poil dru...

d'une guenon.

Car c'était d'un bébé singe que la reine avait accouché. Et c'était un bébé singe qui maintenant, dans les bras de la guérisseuse, vagissait.

Que faire ? La reine allait s'éveiller ; le roi, demander des nouvelles :

« Ma fille est-elle aussi belle que nous l'avions exigé ? »

S'il la voyait, il tuerait tout le monde. Dans la seconde. Chacun dans la pièce le savait.

Et déjà la reine   s'étirait,   se réveillait !   Dans quelques minutes, elle sortirait de son évanouissement,

demanderait à voir sa fille ; que faire ?   Au désespoir, la guérisseuse enveloppa dans des langes la guenon

et murmura à son compagnon :

— Dites à Sa Majesté que je l'ai emmenée prendre son

premier bain, pour qu'elle soit parfaitement propre pour rencontrer la reine et le souverain.

Et elle partit à travers les couloirs, tenant le petit singe, en courant.

Car elle avait une idée en tête : remplacer la guenon,

qui maintenant

tétait gentiment le bout de son

doigt,

par une autre enfant,   née la veille au village

chez un couple de paysans.   Une petite fille jolie et sage.

Le roi et la reine, se dit-elle, ne verraient pas la différence.

Et après une enfance

dans un palais, n'importe quelle paysanne passerait

parfaitement pour une princesse,

la guérisseuse était convaincue qu'il n'était pas question

là   de naissance,

mais d'éducation.

Elle alla donc frapper à la porte de la maison. En quelques

mots, elle expliqua la situation.

— Il en va de la vie, dit-elle, de tous les sujets du royaume.

Donnez-moi votre fille, et par votre sacrifice nous serons

sauvés.

Mais les pauvres parents se mirent à sangloter, car leur

petite fille,

qui était née la veille était, depuis,   morte,

fauchée par l'une de ces maladies qui fauchent les

tout-petits,

et elle gisait dans son tout petit lit,   morte,

entourée de bougies. En la voyant   morte,

la guérisseuse eut alors une nouvelle idée. Et elle

l'expliqua aux parents, qui se montrèrent

horrifiés et scandalisés, et choqués, et terrifiés.

Mais :

— C'est cela, ou nous mourrons tous, dit la guérisseuse.

Et les paysans savaient qu'elle avait raison. Alors, ils la laissèrent faire.

Et même, ils l'aidèrent.

Ils lui fournirent des ciseaux,   une aiguille,   du fil.

Ils allumèrent une lumière.

Ils regardèrent la guérisseuse   prendre le petit bébé mort dans son berceau,

jouer des ciseaux,

lui retirer très précautionneusement la peau,

comme on épluche une orange,

puis habiller la petite guenon, qui dormait tranquille-ment, de cette peau, comme d'un linge,

et ajuster cette peau tout autour de la fourrure du petit singe,

depuis les tout petits orteils noirs jusqu'en haut

du visage...   Et ils la regardèrent

refermer cette peau très délicatement, comme on boutonne un chemisier en soie,

et coudre, avec de tout petits points,

la peau de haut en bas...

114

La guérisseuse était bonne couturière, car elle faisait de nombreuses opérations chirurgicales,

elle était connue pour ne laisser aucune cicatrice, ou presque,

et comme elle était un petit peu sorcière aussi,

elle souffla   une,   deux,   trois fois

sur le poil doux et sombre, et par magie,

la peau du bébé épousa   presque   celle de la guenon.

Et en quelques minutes, elle tenait dans ses bras un bébé   presque   normal. Non,

même mieux que cela. Car drapée sur l'animal,

la peau humaine se trouvait comme animée

d'un souffle étrange, un peu sauvage,

la peau semblait pulser   comme si elle avait dans
les veines

                              plus de sang qu'avant,
comme si ce bébé n'avait attendu qu'elle pour être mieux
vivant.

Ce bébé, à la fois poil de singe et peau d'humaine,

à la fois la belle et la bête,

        pouvait passer, tout compte fait, pour une petite
princesse parfaite.

Les années défilèrent. La petite princesse grandissait.

                Ses parents
l'avaient appelée,   avec simplicité,

        Princesse,

        parce que c'était ce qu'elle était,

        et qu'elle l'était parfaitement.

Princesse était la lumière de leur quotidien.

Tout   ce qu'elle faisait   les remplissait de joie.

Elle était belle, et douce, et sentait bon,

elle jouait	du piano	parfaitement,
elle chantait	des madrigaux	parfaitement,
elle dessinait	parfaitement	des paysages,
elle parlait	plusieurs langues	parfaitement,
elle était	sage	comme une image,
parfaite	en tous points,	tendre,
disciplinée,	elle savait	attendre, elle rangeait
ses affaires,	elle mangeait	tout ce qu'il y avait dans son assiette,
elle dansait	parfaitement,	elle était belle,
mais belle !	Et douce,	et sentait bon (etc.),
et la répétition	en boucle	de ces talents
voyageait	loin,	très loin.
On venait	des quatre coins	du monde
pour voir	cette blonde	et belle

117

et douce	jeune fille	(qui sentait
		bon)
être	elle-même,	c'est-à-dire
		des pieds à la tête,
Princesse,	parfaite,	absolument
		parfaite.

Ceux et celles qui *savaient* n'étaient plus là depuis longtemps.

Les paysans inconsolables s'en étaient allés vers l'océan.

La guérisseuse avait disparu : peu après la naissance, elle était partie, et jamais revenue.

Et le diseur de bonne aventure avait juste eu le temps de dire la bonne aventure au roi et à la reine :

— Votre fille, il lui coule un sang extraordinaire dans les veines.

Elle sera   puissante,

     elle sera   passionnée,

     elle aimera   violemment   la vie.

Ces mots n'avaient pas plu à la reine et au roi. Ils l'avaient

remercié, en le faisant

         étrangler.

Il était évident que leur fille était exceptionnelle, merci bien.

Puissante, passe encore.

Mais passion et violence, non.

Ils préféraient patience et violon.

Le diseur de bonne aventure était donc mort, tout bleu, dans

le salon.

De temps à autre, en grandissant,   et de plus en

plus, en approchant

     quatorze, puis quinze, puis seize ans, Princesse se prit à

remarquer que sa peau

la gratouillait.   La tiraillait.   La chatouillait.   Une

démangeaison

pas atrocement dérangeante, mais pas agréable non plus,

comme de la laine sur une peau nue,

un soupçon de poil à gratter. Une démangeaison qui
l'embêtait,

quand elle répétait
son piano, par exemple, ou qu'elle apprenait une poésie, ou
qu'elle faisait des pas de danse avec ses amies.

Elle apprenait, évidemment, loin des
garçons ;

le prince charmant qu'elle épouserait serait

son Tout Premier Cavalier

le soir de son mariage.

Mais elle n'avait pas encore l'âge ; selon le
vœu de ses parents,

elle l'épouserait à dix-sept ans.

Elle connaissait son nom :

Adalfan Florimond Capucin Ludovicus Maxence
Jean-Isambard Archibald Zilhelm Pontefract III.

Il lui faudrait dire tous ces prénoms-là,   avant le :

Oui, je le veux.

Elle s'entraînait devant le miroir. Chaque soir.

Elle les disait vraiment

parfaitement.

Et donc parmi ces saines occupations,

tous ces moments où elle était belle et douce et sentait bon,

    Princesse grimaçait   un peu

    de ces démangeaisons. C'était embarrassant,

elle n'osait pas le dire,

    elle ne voulait pas déranger ; et puis elle avait

un peu peur :

    et si c'étaient des puces ? Des poux ?

Ses parents seraient effarés,

si elle avait des parasites, ce serait vraiment

    inconvenant,   impoli,

                imparfait.

Alors elle ne dit rien. Pendant plusieurs années, elle laissa sa

peau la tirailler.

    Parfois, elle se grattait discrètement,

    secrètement,   un bout de fesse

    sur un coin de chaise, un bout de cuisse contre ses

draps,

contre un mur de crépi un bout de bras,   et Princesse

se sentait très mal à l'aise, dans ces moments-là. Peur

qu'on découvre

sa démangeaison,   peur aussi   parce qu'elle

trouvait ça

bizarrement   bon,

de se gratter comme ça.

gratte
gratte

Et donc elle garda le silence. Et à d'autres moments. Par

exemple quand

ses doigts, comme agités d'une existence propre,

semblaient décider seuls d'attraper quelque objet. Plume,

encrier ou tasse de thé, passe encore. C'était plus embêtant

quand c'était une autre partie de son corps,

ou du corps de quelqu'un d'autre.

Comme une amie à elle, avec qui elle n'était pas en train de danser,

et pourtant il lui venait comme une envie de lui caresser

la tête, l'épaule. Pour lui montrer son affection. Ou encore,

parfois, ses mains attrapaient une poignée de porte comme pour sortir de la maison,

ce qui était bizarre, parce que franchement,   qu'est-ce qu'elle irait faire dehors ?

Ou encore,   quand elle se promenait dans le jardin,   parfois ses mains

cherchaient les branches des arbres comme pour s'y accrocher, et même ses pieds,

ses pieds semblaient chercher aussi ces branches… Elle ne comprenait pas.

Et pire, quelque chose à la base de son dos,

comme caché sous sa peau au-dessus de son derrière,

semblait frémir, et vouloir dire aussi :

je rêve d'ascension,

je rêve de grimper au sommet

de cet arbre, et de m'y balancer.

Et mains + pieds + chose à la base de son dos l'effaraient : elle avait peur de ces mouvements sous sa peau, du chaud des muscles dans ses replis,

peur de ce ciel qui l'aspirait vers lui.

Un jour d'été, alors que tous les arbres l'appelaient

avec une énergie particulière,   un jour que sa peau

la chatouillait comme rarement,

Princesse, se promenant toute seule dans le verger,

aperçut un chaton au sommet d'un pommier,

qui passait, d'une habile souplesse,

du haut de l'arbre jusqu'au mur,

frontière entre château et monde...

Princesse le regarda faire,

la petite queue du chaton

en forme de point d'interrogation,

                       et l'imagina petit et libre sur
toute la Terre.

Puis, soudainement, ce qui la démangeait avant

    aux encoignures, se mit partout. Sa chair se changea en
charbon

    ardent, comme si sous la peau lui poussaient des chardons

    piquants. Des bogues de châtaigne. Des hérissons. Elle
passa son chemin,

    dit bonjour aux jardiniers,

    qui s'inclinèrent, pleins de respect,   mais
elle n'arrivait pas à s'en remettre.

    Elle aurait voulu être un tout autre être,

    quelqu'un qui passait par-dessus les murs, chaton, oiseau,
serpent, ou insecte aérien.

    Quelque part très profond, son corps guenon lui voulait
du mal,   ou du bien,

    ou quelque chose en tout cas d'inconnu,

    et elle comprit qu'elle voulait se mettre nue.

    Mais nue vraiment, pas jusqu'à sa peau douce et
belle

et qui sentait très bon, non,

jusqu'à plus loin encore, au-dessous de cette fine dentelle,

nue comme le vent qui, lui, pouvait passer partout,

être ici et là-bas à la fois, d'un bout à l'autre du royaume en un instant.

Et elle ne put s'expliquer ces choses-là, elle les sentit confusément,

rentra au château en courant,   s'appliqua sur ses leçons,

les dit

parfaitement,

chanta une ou deux chansons,

ravit ses parents,

alla se coucher, ne dormit   pas,

pensa   toute la nuit à ça,

à cette autre peau

sous la peau qu'elle avait,

cette autre peau qu'elle sentait,

ce nu très profond sous sa nudité.

Sa liberté.

Son autre beauté

sous sa beauté.

Pendant un temps, elle s'appliqua à être libre et belle,

selon la définition de ses parents.

Libre, les pieds dansants dans des ballerines vernies.

Belle, la robe à crinoline et son oscillation de cloche.

Libre, le poignet fin auquel s'accrochent

de lourds bracelets

d'or et de pierreries,

plus libres, plus belles ces pierres-là que toutes les roches

que l'on pourrait escalader, que tous les murs que

l'on pourrait franchir.

Et s'il lui arrivait de flancher, d'imaginer un avenir

trop   libéré

(dans une définition qui lui était indésirable),   un avenir

qui menaçait

    de la rendre moins sage,   ou moins douce, ou de

la faire sentir moins bon,

    ou de la rendre moins belle, d'être plus   bête,

    une rêvasserie de passage,   alors vite, vite,

elle se répétait dans sa tête :

    Adalfan Florimond Capucin Ludovicus Maxence

    Jean-Isambard Archibald Zilhelm Pontefract III,

        Oui, je le veux.

      Je veux cet avenir à ses côtés, évidemment !

      Je veux être sa princesse, et puis sa reine,

parfaitement.

Et pour être honnête,

    elle le voulait sans doute,

    mais pas *seulement.*

Et c'était cela qui la terrifiait, l'idée de danser uniquement

      avec lui, Adalfan (etc.),

    le soir de son mariage,   et pour toujours, de ne

toucher que son visage

à lui, de vivre heureux, d'avoir beaucoup d'enfants, elle
ne voyait pas trop comment
ce serait possible, comment

ne rêver qu'à cela. À lui seulement.
Princesse avait l'intuition que la nature
l'appelait à d'autres aventures.

Si elle épousait Adalfan   (etc.),

elle ne serait jamais parfaitement   à lui.
C'était impossible.

Alors, elle s'enfuit.

Comme ça, un soir. Elle s'échappa par une fenêtre
ouverte. Ses mains trouvèrent les branches les plus proches
et se hissèrent.

Ses pieds aussi. Il lui sembla que ses orteils

attrapaient impeccablement l'arbre jusque dans ses
nervures les plus discrètes.

Elle s'éleva rapidement jusqu'au sommet. Là-haut, elle voyait
tout. Elle était sur le toit de la forêt.

De la pointe des oreilles,   elle entendait   la vie
qui grinçait.

De la pointe du nez, elle sentait ses
odeurs compliquées.

Et du bout de la langue, mieux qu'un baiser de
prince : le goût de la liberté,

qui est celui d'une nuit d'été, un peu mouillée, sans étoiles,

épicée par les stridulations des cigales, parfumée

aux racines et à la terre,

où le ciel semble un bol noir sans fond, et on a peur

de tomber dedans à l'envers.

Elle contempla tout cela longtemps, et puis se remit en
mouvement de branche en branche,

de forêt en forêt, et bientôt elle dépassa les confins du
royaume. Elle ne toucha pas le sol.

Elle s'arrêtait pour manger des fruits ou mâcher des feuilles, et parfois des fleurs

et des insectes. Les papillons avaient un goût de papier crépon. Les chenilles chatouillaient la gorge. Les fourmis crissaient sous la dent comme des pépins de fraises.

Quand elle descendit enfin du dernier arbre, elle était arrivée au bord

de la mer.   Son corps

était las, mais heureux. Elle ne sentait pas les tiraillements.

Princesse alla frapper à la porte d'une petite maison marine. Celle qui lui ouvrit, évidemment,

ce fut la guérisseuse, qui vivait là depuis très, très longtemps. Et qui la reconnut

aussitôt. Reconnut la peau qu'elle avait cousue. La très fine ligne – presque imperceptible –

de la suture le long du corps.

Les grands yeux brillants, billes noires, qui s'étaient ajustés si bien sous les paupières du bébé mort.

Cependant, la guérisseuse ne dit rien. Elle laissa entrer l'inconnue, et lui offrit le gîte et le couvert, lui parla de la plage et de la mer,

de choses innocentes. Et parfaite, comme toujours,

Princesse lui parla en retour   de géographie, de littérature et de sciences,

sans lui dévoiler sa haute naissance. Mais la guérisseuse voyait dans ses cheveux

des brindilles, sur sa peau des écorchures de ronces, sur ses mains des cals et des ampoules,

et elle finit par demander à la jeune fille

si elle voulait prendre un bain pour délasser sa peau qui lui semblait blessée. Qui lui semblait en feu.

— Seulement, évidemment, si tu le veux.

Princesse acquiesça, accepta une serviette, alla faire couler de l'eau chaude, fit glisser dans le bain son corps nu, de cette nudité qui lui semblait toujours

étrangère, un peu,

pas tout à fait elle encore, mais déjà elle un peu mieux.

Et elle se mit à la frotter avec du savon et une éponge.

Et au fur et à mesure qu'elle frottait,

soulageant ses membres

épuisés par les errances,

              éreintés par les années à

être sage,

elle sentit que son corps se frayait un nouveau passage

    dans la vie. Dans le monde. Devenait large, et ample,

                  et une puissance

nouvelle, pas comme le pouvoir d'être belle,

        ou douce, ou de sentir très bon,   non,

quelque chose de différent survenait :   le sentiment

d'appartenir entièrement,

           parfaitement,

à ce corps et à ses espaces :

à toute la place

que l'on prend.

Elle ne sortit pas du bain guenon, évidemment.

Cette fourrure de naissance,

ce n'était pas plus véritablement sa peau

que l'autre, celle du dessus, celle que l'existence

lui avait fait porter ces seize années durant.

Mais lorsqu'elle sortit, elle n'était plus pareille.

Des orteils aux oreilles,

elle avait changé, elle était comme   mélangée,

elle avait la force des arbres dans ses phalanges,

des muscles forts aux cuisses, aux bras, une mâchoire

dure

pour les nourritures nerveuses,

elle était plus grande et plus noueuse.

Elle était devenue l'enfant de ses deux êtres :

la belle   et   la bête.

Je ne sais pas ce que Princesse a fait ensuite. Mais j'ai des hypothèses.

La plus simple :

Adalfan, j'en suis bien triste pour lui,   ne l'a sans doute jamais épousée.

Il n'a jamais connu le baiser   qui aurait suivi :

Adalfan Florimond Capucin Ludovicus Maxence

Jean-Isambard Archibald Zilhelm Pontefract III,

Oui, je le veux.

Parce qu'elle l'aurait voulu, peut-être,   mais pas que.

Je pense que Princesse   a vécu son existence   entre ciel et terre,

branches et champs,   toujours un peu en déséquilibre,

mais sans démangeaisons affreuses,

parce qu'elle a su comment trouver du réconfort,

et où gratter pour que cela soulage,   et que son corps était plus fort

qu'avant. Elle a sans doute recherché la beauté, toujours,

la douceur, encore,

mais la beauté et la douceur de l'orage,

pas celles des enfants sages.

Je suis même prête à croire qu'elle a trouvé l'amour,

ou les amours, en plusieurs fois, pour toute la vie, pour
un seul jour,

je ne sais pas,

mais vu comme elle était puissante, et vu la passion dans
sa peau,

et vu comme elle aimait si violemment la vie,

je m'aventurerais à dire que dans l'amour,

comme pour le piano et la poésie,

comme elle avait toujours été parfaite auparavant,

Princesse a aimé,

aussi,

parfaitement.

CHARLOTTE BOUSQUET

Dans ce pays ravagé par un tyran, le soleil brûle les champs, assèche les rivières, transforme la terre en fournaise. Dans ce pays ravagé par un tyran, tout est jaune, brun et poussière.

Rien ne pousse. Les animaux meurent de faim et de soif. Les gens se réfugient dans les villes. Ils espèrent y trouver de l'eau, de la nourriture et du travail. Il n'y a rien pour eux : juste l'ombre de la citadelle de Shay, qui mange l'espoir et la lumière du jour. Juste la misère au quotidien.

Quand les parents d'Ana se sont mariés, ce n'était pas ainsi. Bien sûr, les moissons étaient maigres. Mais en rassemblant les récoltes de ceux qui vivaient sur leur domaine et en les redistribuant équitablement, le couple s'assurait que tous mangent à leur faim.

Après la naissance de la fillette, des tempêtes de sable ont ravagé les champs. De terribles sécheresses ont provoqué des famines. Tout est allé de mal en pis. Beaucoup sont morts. Les survivants ont quitté le domaine pour tenter leur chance en ville. Partout, on murmurait que le tyran avait provoqué la colère de Tara, la Terre-Mère. La mère d'Ana a très vite compris que la vérité était pire. La Terre n'était pas en colère, mais mutilée par la sombre sorcellerie de Shay.

Et puis, la jeune femme est tombée malade.

Ana a cru que son cœur se brisait, quand elle l'a vue, décharnée, fiévreuse, sur la paillasse qui lui servait de lit.

— Approche, ma princesse.

La fillette a obéi.

— Je n'ai plus beaucoup de temps. Comme Tara, je suis blessée. Mais je suis plus faible qu'elle.

La malheureuse a serré sa main dans la sienne. L'effort l'a épuisée.

— Je ne veux pas que tu meures.

— Depuis les étoiles, je veillerai sur toi. Toujours. Et je ne te laisse pas seule. Regarde !

Elle a tapoté sa couverture. Un chaton couleur de sable, pas plus gros que le poing, a bondi sur ses doigts. Ana a souri à travers ses larmes. Elle a cueilli dans ses paumes le petit animal. Aussitôt, ce dernier s'est mis à ronronner.

— Il s'appelle Lunn. Prends soin de lui, ma princesse. Chéris-le. Car il te guidera et te rappellera, même dans les moments les plus difficiles, que la lumière n'est pas loin.

Elle s'est éteinte le soir même.

Lunn blotti dans sa poche, Ana et son père ont quitté leur village.

Ils ont voyagé des mois. Parfois, ils marchaient des jours entiers sans trouver ni à boire ni à manger. À la fin, ils pouvaient à peine avancer. Enfin, la ville est apparue, enveloppée d'un nuage jaune et gris. Ils ont été accueillis par des gardes armés jusqu'aux dents, parqués dans un camp insalubre. Puis on leur a expliqué les règles : ici, on n'acceptait ni les vagabonds ni les mendiants. L'eau et la nourriture étaient trop rares pour les gâcher avec des bouches inutiles. Ceux qui voulaient rester avaient le choix : les carrières de sel ou le forage de galeries.

Trois ans ont passé.

Chaque jour, Enki se rend aux carrières. Il travaille jusqu'à épuisement, juste pour leur permettre de subsister.

Chaque jour, Ana fait la queue des heures durant pour récupérer leur quota d'eau à la citerne.

À la mort de son épouse, Enki a perdu sa joie de vivre. En arrivant à la ville, il s'est replié sur lui-même, devenant sombre, presque agressif. Seule Ana, sa princesse, toujours souriante en dépit de leurs malheurs, parvenait à lui rendre le sourire.

L'an dernier, il a rencontré Orane. Une rescapée, elle aussi. Il en est aussitôt tombé amoureux. Ana aurait souhaité qu'Orane l'aime. Peut-être pas comme une mère, mais au moins comme une tante ou une voisine.

Ce n'est pas le cas. Cela ne l'a jamais été.

Dès qu'elle l'aperçoit, Orane aboie des ordres, crache des mots méchants : « Ana ! Lave-toi, tu es une vraie souillon ! » « Ana, que fait cette bête ici ? Je t'ai déjà dit que je ne voulais pas de ça dans mes jambes ! » La situation se dégrade de jour en jour : Orane est enceinte et ne peut plus aller à la mine. Enki doit travailler deux fois plus pour leur permettre de subsister. Le soir, il est irritable, épuisé. Alors, quand elle lui explique qu'Ana est insolente et que son sac à puces est dangereux pour le bébé, Enki la croit. Il se met en colère. Plusieurs fois, il a giflé sa fille.

Ce soir, il a tenté de la frapper. Pas avec la main. Avec le pied.

Ana a esquivé, les yeux remplis de larmes. Lunn, minuscule, mais féroce, le poil hérissé, a bondi devant elle et l'a protégée en feulant. Ana n'a eu que le temps de le prendre dans ses bras et de se réfugier sur une butte, juste derrière leur masure.

— Ce fauve aurait pu te blesser ! Et s'il griffe notre enfant ?

— J'étais tellement en colère que j'en avais presque oublié qu'Ana n'est qu'une gamine.

— Une gamine paresseuse et mal élevée ! À propos, il serait grand temps que ta *princesse* gagne sa pitance.

— Tu as sans doute raison, soupire Enki.

— Bien sûr que j'ai raison ! C'est comme pour sa vermine...

— Demain, je jetterai Lunn dans un sac et l'emmènerai sur le chantier. Une fois là-bas, je trouverai le moyen de m'en débarrasser.

Ana sent son cœur se briser. Dans les mots qui ont été prononcés ce soir, elle ne reconnaît plus son père. Un étranger brutal et froid a pris sa place.

— Je ne laisserai personne te faire de mal, murmure-t-elle.

En réponse, Lunn se met à ronronner. Ana lève la tête. Des nuées d'un marron sale masquent la lune et les étoiles. En observant attentivement le ciel voilé, elle en discerne cependant quelques-unes. Sa mère se trouve-t-elle parmi ces points scintillants ? Une vague de chaleur, pareille à une caresse, enveloppe son cœur.

— Maman !

Une grosse larme roule sur sa joue. Lunn lèche la goutte salée, puis son nez, son menton. Ana ne peut s'empêcher de sourire.

— Reviens ! crie son père, depuis le seuil de leur cabane. Reviens immédiatement !

Ana se recroqueville dans les ombres.

— Ana ! Si tu n'obéis pas…

— Fous-lui la paix ! braille un voisin. Ta môme finira bien par rentrer…

— Toi, je ne t'ai rien demandé !

— Peut-être, mais je me lève dans trois heures et je veux dormir !

Enki regagne la masure, furieux.

Son chat dans les bras, Ana se lève. Elle ne rentrera pas. Ni ce soir. Ni demain.

Elle s'en va. Pour toujours.

Silencieuse, elle se glisse entre les huttes brimbalantes. Elle esquive les recoins pleins d'immondices, territoire des rats. Elle escalade le muret qui sépare ces habitations misérables du reste de la ville et atterrit souplement de l'autre côté. Des chiens se battent, non loin. Plus près, des hommes discutent. Leurs pas se rapprochent. Apeurée, elle s'éloigne, silencieuse et rapide.

Elle parvient à se repérer, malgré l'obscurité.

Ici, les arcades sous lesquelles on troque des bijoux, des poteries, des tapis contre de la farine, des dattes et de la viande séchée. Là-bas, au milieu du carrefour, la citerne d'eau.

Des vigiles la surveillent, armés. En face, une rue bordée de cactus et de façades décrépites grimpe vers le centre. Ana ne s'est jamais aventurée là-bas. Les citadins n'aiment pas les réfugiés. Ils les trouvent sales, stupides. Tout juste bons à s'éreinter sous la morsure du soleil ou à creuser le sol pour trouver des sources d'eau souterraine.

Ana marche jusqu'à ce que ses jambes ne puissent plus la porter. Quand les premiers rayons du soleil éclaboussent la ville, elle s'appuie contre une façade jaune, lézardée, et se laisse glisser dans la poussière.

Lunn saute de ses bras, s'étire et s'éloigne en trottinant.

Des aboiements déchirent la torpeur de l'aube. Jaillissant de nulle part, trois chiens foncent sur lui. Terrifié, le chat des sables saute sur un muret, puis disparaît derrière un amoncellement de gravats.

— Allez-vous-en ! hurle Ana.

En réponse, ils grondent, les crocs dégoulinants de bave. Ana serre les dents, déterminée à chasser les molosses que la faim a rendus fous. Avisant des pierres, elle leur jette de toutes ses forces. Blessé, l'un d'eux jappe de douleur. Elle en touche un autre. Cette fois, les assaillants se replient.

Oubliant sa fatigue, Ana grimpe l'amas de décombres et repère une faille, dissimulée par les pierres et les cactus desséchés. Elle s'y faufile, certaine d'y trouver Lunn.

Et tombe.

Sa chute dure longtemps.

Plus longtemps que son cri.

Plus longtemps que sa peur.

Enfin, elle atterrit sur un monceau de sable. Elle se relève, se frotte les yeux, inquiète parce qu'elle ne voit rien.

Mais c'est qu'il n'y a rien à voir.

Ici ne règnent que les ténèbres et le froid.

— Lunn ? appelle-t-elle d'une voix qui tremble un peu.

Un faible miaulement lui répond. Courageuse, Ana s'enfonce dans l'obscurité. Au passage, elle heurte des objets anguleux, pointus, écorche ses jambes, ses genoux, ses cuisses. Dans son sillage, elle abandonne quelques gouttes de sang. Mais elle a du cran, Ana. Guidée par Lunn, elle continue, malgré les obstacles qui se dressent sur son chemin. Quand des insectes tentent de grimper sur elle ou tombent sur sa tête, elle serre les dents et les chasse d'un revers de la main.

Régulièrement, elle appelle.

— Lunn ! Lunn ! Où es-tu ?

Et le chat des sables répond. Il l'entraîne, toujours plus loin, dans le noir.

Au terme d'une interminable errance, Ana entrevoit une faible lueur. Le cœur gonflé d'espoir, elle se précipite vers la lumière.

Elle s'immobilise au seuil d'une immense caverne au plafond scintillant de minuscules éclats. Au centre, une pierre taillée comme une flamme éclaire les lieux.

— C'est magnifique !

À cet instant, Lunn la rejoint et se frotte contre ses jambes en ronronnant. Soulagée, elle le prend dans ses bras et le couvre de baisers.

— J'ai eu si peur de te perdre ! Mais tu savais où tu allais, n'est-ce pas ? Tu m'as guidée jusqu'ici ! Tu es magique...

En réponse, Lunn cligne des yeux, saute sur le sol et trotte vers la gemme à l'éclat d'argent. Ana le suit. À son approche, le cristal brille plus vivement, comme s'il la saluait. Émerveillée, elle sent son cœur battre plus vite et tend sa paume vers la pierre. Tiède, douce, celle-ci paraît vivante.

À cet instant, trois portes se dessinent dans la roche. Ana les contemple, ébahie. D'un bond décidé, Lunn se dirige vers la première et miaule doucement.

— Tu es sûr que...

Le félin pose les pattes contre le bois.

— D'accord.

Ana examine le panneau, sculpté d'arabesques impossibles à définir. Elle pose sa main sur le battant, qui cède dans un grincement. De l'autre côté, elle découvre avec un cri étouffé une source jaillissant dans un bassin. Elle s'y précipite. Lunn s'interpose en feulant.

— C'est de l'eau ! De l'eau, tu t'en rends compte ! Non. Non, bien sûr, tu n'es qu'un chat, tu ne peux pas comprendre, tu...

Lunn tente de la faire tomber.

— Ça suffit, Lunn ! J'ai soif !

Le félin sort les griffes.

— Mais laisse-moi passer, sale bête !

Comme l'animal, tout hérissé, fait mine de l'attaquer, elle recule, cherchant un moyen de se débarrasser de lui.

Se. Débarrasser. De. Lui.

Prenant brutalement conscience de la violence de ses pensées, la jeune fille se fige et tombe à genoux devant son compagnon.

— Pardon, souffle-t-elle, les larmes aux yeux. Pardon ! Je ne sais pas ce qui m'a pris ! J'étais prête à te frapper alors que tu es ce que j'ai de plus cher au monde !

En réponse, il frotte sa tête contre la sienne. Soudain, le cœur d'Ana manque un battement. Au bord du bassin, un squelette vêtu de loques. Son crâne lisse touche la surface de l'eau. Sans Lunn, elle aurait subi le même sort que le malheureux.

— Merci, souffle-t-elle.

Elle découvre alors un piédestal recouvert de coupes. Il y en a des dizaines, taillées dans des joyaux, ciselées dans de l'or ou de l'argent. Elle en repère également en bois précieux, incrusté de pierreries et de nacre. Ana devine qu'elle doit en choisir une pour puiser l'eau de la source. L'un des gobelets, serti de perles scintillantes, attire son attention. Elle tend la main vers lui, suspend son geste, juste avant de le toucher. Et regarde Lunn. Celui-ci plonge ses grands yeux dorés dans les siens en ronronnant.

Il te suffit d'être toi-même pour réussir.

Ana sursaute. Est-ce la voix du chat des sables qui vient de résonner dans son crâne ?

La jeune fille se souvient de son interminable chute, de son errance dans les ténèbres, de la flamme de cristal et, enfin, des paroles de sa mère : « Il te guidera et te rappellera, même dans les moments les plus difficiles, que la lumière n'est pas loin. »

Écoute ton cœur. Tu sauras.

Ana inspire profondément, expulse par son souffle toutes ses craintes, ses incertitudes, ses peurs. Elle se sent calme, dé-terminée. De nouveau, elle observe les coupes. L'une d'elles, couleur de terre, de forme arrondie, éveille un écho dans sa

mémoire. Celui d'une soirée encore imprégnée de la chaleur et des parfums du jour. De la douce mélodie fredonnée par sa mère, préparant le repas. De la cithare de son père, accompagnant sa chanson. Des épices parfumant leur thé.

Alors, comme dans un rêve, Ana s'empare du calice et le plonge dans le bassin.

L'eau, fraîche, minérale, chasse sa fatigue, ses blessures. Ravie, la jeune fille le remplit de nouveau, pour Lunn.

En se relevant, Ana constate que les autres gobelets sont devenus poussière. Et la porte, qui s'était refermée sans qu'elle en ait conscience, s'ouvre lentement, l'invitant à quitter les lieux.

Une dernière fois, elle remplit la coupe, puis regagne la caverne, Lunn sur les talons. Alors, elle s'avance jusqu'au cristal et s'arrête. Ana avait l'intention de verser le liquide le long de ses parois. À présent, elle se sent un peu ridicule de lui attribuer les besoins d'un être vivant. Elle lance un coup d'œil à son chat.

Suis ton intuition, répond-il, car elle sait à présent que cette voix est la sienne.

Devant elle, la pierre frémit. Sans plus hésiter, Ana verse l'eau. À peine commence-t-elle à ruisseler qu'un grondement secoue la grotte. Le sol se fissure. Une pluie de joyaux scintillants se détache de la roche. Projetée sur le sol, la jeune fille étouffe un cri.

Le chaos cesse rapidement. Ana se dresse sur ses coudes. Lunn lèche le bout de son nez. Le chat des sables semble très à son aise parmi les gravats. Rassurée, elle s'agenouille. Et retient un cri.

À la place de la gemme, une silhouette trouble.

À la place de la gemme, une silhouette à la peau bleutée. Un djinn.

— Je te remercie, Ana. Grâce à toi, les rivières se rempliront, la pluie tombera, la terre redeviendra fertile. Les hommes, les chats et tous les êtres vivants pourront croître et prospérer de nouveau. Car je suis Mann, le Gardien des Eaux, enfin délivré de cette prison de cristal !

Ana le contemple, abasourdie. À ses côtés, Lunn ronronne sans bouger.

— Mais qui t'a... Qui t'a enfermé ici ? interroge-t-elle enfin d'une toute petite voix.

La réponse jaillit dans son esprit. Évidente. Shay. Le tyran qui martyrise le royaume.

— C'est bien Shay, en effet, déclare Mann, comme s'il avait lu ses pensées. J'ai été naïf. Quand il a commencé à construire des barrages et à détourner le cours des fleuves, à couper les arbres et à forer le sol, je lui ai envoyé des messagers pour lui demander de cesser. Car il asséchait des régions entières et il en inondait d'autres. Il se moquait bien de ceux qu'il détruisait. Furieux, je me suis rendu auprès de lui. J'espérais l'intimider. Mais il m'a piégé. Ce que j'ignorais, c'est que Shay est un sorcier.

— Maman le savait, je crois.

— Bien sûr qu'elle le savait ! C'était une femme avisée, et le sang de la Terre-Mère coulait dans ses veines.

— Le sang de la Terre ? répète Ana.

— Cette puissance qui l'habitait. Le mal qui l'a emportée... Elle lui était liée, Ana.

À cet instant, les paroles de sa mère lui reviennent en mémoire. « Comme Tara, je suis blessée. Mais je suis plus faible qu'elle. » La jeune fille en saisit mieux le sens, à présent.

— Tu as été très courageuse, reprend le djinn. Mais il te reste encore une tâche, la plus difficile, à accomplir.

— Laquelle ?

— Délivrer la cité du tyran qui l'asservit. Crois-tu que ses habitants soient naturellement insensibles et méchants ? Même Orane était différente, au début. C'est Shay qui les a rendus ainsi ! Il les a assoiffés. Il les a affamés. Il les a asservis. Cela lui a été facile, ensuite, d'insuffler sa malveillance dans leur esprit.

— Mais tu as échoué, et tu es le Gardien des Eaux ! Moi, je ne suis personne, juste une exilée !

— N'as-tu donc pas écouté ce que je t'ai dit ? Ta mère portait en elle la force de Tara. Cette même force est en toi, Ana. Et bien plus ! En ton cœur brûle une étincelle si pure qu'elle te protège de tous les maléfices de Shay. D'où vient-elle ? Je l'ignore – et je crois que c'est à toi de le deviner.

Ana se mord la lèvre et lance un coup d'œil à son compagnon. Le chat des sables ne semble guère concerné par la conversation. Les yeux mi-clos, il est occupé à faire sa toilette et se lèche consciencieusement les pattes.

— Lunn ne t'aidera pas, cette fois. Quant à moi, une tout autre tâche m'attend. Les sources, les rivières et les fleuves du royaume sont depuis trop longtemps taris. La terre se meurt, Ana. Il est temps de lui redonner vie.

Jusqu'à présent, ami, protecteur, guide, Lunn a toujours été à ses côtés. Il l'a menée jusqu'ici. Et s'il estime, comme le djinn, que la jeune fille n'a pas besoin de lui, elle doit lui faire confiance et accepter l'épreuve.

Les deux autres portes creusées dans la roche s'ouvrent. De l'une s'échappe une lumière douce, dorée. De l'autre, un vague courant d'air. Ana se doute que la première est un leurre. Curieuse cependant, elle ne peut s'empêcher d'y jeter un coup d'œil.

Dans la cour de la ferme, une silhouette familière remonte du puits un seau d'eau pure. Non loin, un chaton tente d'attraper des papillons multicolores.

— Maman.

Cette dernière, resplendissante, se tourne vers elle. Avec un sourire, elle lui ouvre les bras.

Ana effectue un pas vers elle, se retient, les yeux brouillés de larmes. Sa mère n'est plus. Ce qu'elle vient de voir est une illusion. À peine a-t-elle effectué un pas en arrière que celle-ci se dissipe, dévoilant une créature aux orbites vides, dans une fange ignoble d'où s'échappent quelques mains squelettiques.

Mirage de l'amour. Réalité de la mort.

Chassant son chagrin, Ana passe la troisième porte.

À l'intérieur, un escalier. Il s'élève, vaguement éclairé par des jours étroits, qui laissent filtrer des rayons grisâtres : là-haut, tout là-haut, le soleil brille. Ana grimpe.

Au début, elle compte les trouées de lumière.

Au bout d'un moment, elle renonce.

Au terme d'une éternité épuisante et monotone, elle passe la dernière marche.

Devant elle, un étroit palier et une porte, fermée par une simple clenche.

Elle pose les mains sur le battant de cuivre. Froid, il suinte la tristesse et lui donne la sensation d'étouffer. Luttant contre son envie de faire demi-tour, elle prend quelques minutes pour se reposer et se rappeler les paroles de Lunn.

Il te suffit d'être toi-même pour réussir.

Alors, elle soulève le tube de métal et ouvre.

De l'autre côté, un corridor obscur. À son extrémité, une tapisserie. Des éclats de voix lui parviennent. Des coups.

Les pleurs d'un bébé. Prudente, Ana soulève un pan de la toile. Elle découvre une vaste salle en contrebas. Ses murs sont en granit, ornés de tentures. Au fond de la pièce, un homme est assis sur un trône d'or et d'ébène. Sa peau, comme ses yeux, est d'une pâleur maladive. Ses cheveux et sa barbe sont gris. Richement vêtu, il tient dans sa main gauche un sceptre ouvragé. De son pommeau, qui pulse d'une lueur malsaine, s'échappent des fumerolles verdâtres.

C'est Shay, le tyran qui asservit et assoiffe le pays.

Et son bâton de pouvoir est la source de sa magie.

Soudain, le ventre d'Ana se noue. Son père, mains liées dans son dos par une corde épaisse, est agenouillé entre deux gardes. Derrière lui, Orane, maigre et sale, les cheveux défaits, porte dans ses bras un tout petit enfant. Ana pensait avoir fui depuis quelques jours à peine. Étonnée, elle se rend compte que cela fait des mois qu'elle est partie.

— Je t'en supplie, Seigneur ! sanglote Enki. Je n'avais pas le choix ! Orane n'a plus assez de lait pour nourrir notre fils et...

— Je me moque de tes explications ! rugit Shay. Je me moque de ton rejeton, de ta femme et du reste ! Si tu voulais

160

plus d'eau, il fallait travailler plus dur ! Au lieu de ça, tu as préféré te comporter en criminel !

— Je m'échine jour et nuit. Parfois, je suis si fatigué que je dors sur les chantiers. Je ne peux pas...

— Suffit ! J'en ai assez d'entendre tes mensonges. Gardes, occupez-vous de lui ! Quant à cette souillon et son marmot, qu'ils soient chassés de la ville !

À cet instant, la gemme qui orne son bâton de pouvoir jette un éclat blafard. Les soldats saisissent les prisonniers et commencent à les traîner hors de la pièce.

Ana serre les poings, révoltée. Personne ne fera de mal à son père. Personne ne condamnera sa belle-mère et leur enfant à mourir de faim et de soif dans le désert. Shay est peut-être un sorcier, il n'est pas infaillible.

Mais comment le vaincre ? En dépit de ce que pense Mann, Ana n'est qu'une jeune humaine inexpérimentée. Et sans Lunn pour la guider, elle se sent complètement démunie. À moins que l'étincelle que le djinn a évoquée dans la caverne puisse l'aider ? Ana prend une profonde inspiration et se concentre, elle cherche en elle le pouvoir de résister au tyran et à ses maléfices. Là. Autour de son cœur. Une chaleur, d'une douceur et d'une puissance infinies.

Une source qu'elle connaît intimement. Qui, depuis long-temps, la réconforte.

L'amour.

Inépuisable.

Illimité.

Cadeau précieux d'une mère au seuil de la mort à sa fille chérie.

Pour Ana, tout devient clair. La raison de sa présence dans la citadelle, la manière d'abattre le tyran.

Ana quitte sa cachette et descend les marches menant à la salle du trône. En chemin, la jeune fille pense à celle qui veille sur elle depuis les étoiles, à Lunn qui l'a guidée jusqu'ici, au djinn qui a placé tous ses espoirs en elle. Une flamme brille dans son être. Une flamme qui se nourrit d'amour et de confiance. Une flamme qui lui donne la force de se planter face au tyran.

— Débarrassez-moi de cette créature ! gronde aussitôt celui-ci.

Ses hommes esquissent un pas vers elle et s'immobi-lisent, incertains. Shay comprend qu'elle n'est pas comme les autres. Aussitôt, il change d'attitude et plisse les yeux d'un air rusé.

— Qui es-tu ? Que veux-tu ? demande-t-il d'un ton mielleux.

Ana sent la volonté du sorcier s'immiscer dans son esprit. Une sensation froide, poisseuse. Ne serait-il pas plus simple de lui demander d'épargner son père et Orane ? Tous trois vivraient tranquillement dans la cité. Comme des citoyens, et non plus en esclaves. En échange, il ne lui demande qu'un sacrifice. Un tout petit sacrifice : sa liberté. Elle perçoit la ruse et l'influence de Shay derrière ces pensées. Alors, de toutes ses forces, elle résiste et repousse le tyran – une vague de lumière, instinctive et brûlante monte en elle.

— Je suis venue rendre l'espoir à ceux qui n'en ont plus, répond-elle enfin. Je suis venue rétablir ce que tu as tenté de détruire. L'amour et le partage appartiennent à ce monde...

À mesure qu'elle parle, une boule d'énergie blanche grandit entre ses mains. Shay, furieux, se dresse hors de son trône et brandit son sceptre. Un éclat verdâtre fuse vers Ana. La sphère éclatante l'absorbe et continue à grandir. Immobile, Ana a fermé les yeux. Elle pense à ceux qu'elle a aimés, et aime encore. À ses amis. À ceux qu'elle ne connaît pas. Aux animaux de la terre,

du ciel, de la mer et des fleuves. À toutes les formes de vie, qui souffrent et s'éteignent par la faute du tyran. Et la lumière croît.

— Tuez-la ! ordonne Shay, paniqué, à ses gardes.

De nouveau, ils esquissent un pas, un second, puis s'immobilisent.

Enragé, terrifié, le sorcier se précipite sur elle, tenant son bâton comme une épée. À peine l'artefact entre-t-il en contact avec la source blanche, aveuglante, qu'il éclate, se brise en centaines de fragments. Projeté en arrière, Shay heurte brutalement le sol.

La lumière décroît. L'énergie reflue.

— L'amour et le partage appartiennent à ce monde, reprend tranquillement Ana. Et toi, Shay, tu n'y as plus ta place.

Le tyran comprend qu'il a perdu. Moitié rampant, moitié courant, il s'enfuit. Dans la salle, les gardes lâchent leurs armes et clignent des yeux, comme s'ils se réveillaient d'un long sommeil. Enki, libéré de ses liens, rejoint Orane et leur enfant. Au cœur du désert, une goutte de pluie tombe sur le sol. Puis une autre. Et une troisième.

Dans ce pays, l'eau nourrit la terre et le soleil réchauffe les cœurs. Dans ce pays poussent des herbes folles et des fleurs. Dans ce pays, tout est vert, bleu, multicolore.

Ici, les animaux prospèrent et les gens sont heureux. Celle qui veille sur eux est jeune, mais sage. Et, dit-on, un chat des sables lui a été envoyé par les djinns pour la conseiller.

SANDRINE BEAU

TAPISSERIE, Jarrets dodus & DRAGON RUGISSANT

VIVE LES POILS

Il était une fois un pays avec une mer bleu océan, des montagnes aux sommets parfois tout blancs, des champs verts avec des herbes qui ondoyaient dans le vent et des arbres qui fleurissaient au printemps.

Dans ce pays, il y avait également un château. Dans ce château, il y avait une haute tour. Dans cette haute tour, il y avait une jolie chambrette. Dans cette jolie chambrette, il y avait un très grand lit princier. Et sous le matelas moelleux de ce très grand lit princier, se trouvait un vieux grimoire.

Quand on soulevait la couverture en cuir usé de ce vieux grimoire, on découvrait une écriture ronde et virevoltante.

Et voilà ce qu'on pouvait lire…

Hey ! Moi, c'est Céleste !

Princesse de mon état.

Quinze ans tout ronds depuis une semaine.

Et depuis quelque temps, rien ou plus grand-chose ne tourne rond dans ma vie, justement !

« C'est l'adolescence », chuchote ma mère à mon père quand elle croit que je ne l'entends pas.

L'adolescence, tu parles ! Elle a bon dos !

La vérité vraie, c'est que dans mon château, ma vie est à peu près aussi palpitante que celle d'un coton-tige !

Mon château... ce gros tas de cailloux, juché en haut d'une mini-montagne, dont je rêve de franchir le pont-levis. Je meurs d'envie de voir ce qu'il y a derrière les collines qu'on aperçoit depuis les remparts. Moi, j'ai besoin d'air, d'espace ! Besoin de respirer, besoin de découvrir... besoin de vivre, pour résumer.

Mais mon père et ma mère ont beaucoup de mal avec ça.

Pourquoi ?

Raison numéro 1 : « Parce que je suis une fille. »

D'ailleurs, c'est aussi la raison numéro 2.

Et la raison numéro 3.

Être une fille dans ce royaume est une vraie malédiction, je vous le dis !

Moi, dans la vie, j'aime rire aux éclats (même si ça fait trop de bruit, à en croire mes parents), le saucisson trempé dans du chocolat, la boxe et Michel-Philibert, ma licorne ailée. Je déteste les betteraves (même si j'en ai toujours deux ou trois dans les poches), je déteste les robes à crinoline avec leurs arceaux et leurs jupons qui empêchent de courir, je déteste quand on remplace mon saucisson-chocolat par des haricots verts-brocolis *parce que c'est mieux pour moi,* et je déteste par-dessus tout la dernière lubie de papa (pour mes quinze ans, mon père a pris une grande décision, sans me demander mon avis).

Mon père et moi, on n'est jamais d'accord.

Papa ne sourit jamais. Un peu comme s'il avait décidé que tout était sérieux et que relever les coins de sa bouche était une activité idiote et qui ne méritait pas qu'on perde du temps pour elle.

En plus de mon père, j'ai une mère. Et elle, elle sourit.

Mais discrètement. Et seulement de temps en temps.

Enfin, surtout si mon père (son mari le Roi, vous suivez ?) n'est pas dans la même pièce. Il est très fort, lui, y a pas à dire : il arrive et tout le monde se plie à ses quatre volontés. Une seule personne lui résiste dans son royaume. Je vous laisse deviner qui ? (Un indice : elle a écrit ce que vous lisez.)

Contrairement à mon père, qui ne parle que guerre, attaques surprises, boulets de canon et jets d'huile bouillante, ma mère passe ses journées au château, à faire de la tapisserie en fredonnant à voix basse. (Je vous rappelle que les filles – et donc les femmes – ne doivent pas faire de bruit, selon les consignes parentales !)

Du coup, ses toiles sont accrochées partout dans le château et son chef-d'œuvre, un tableau immense, recouvre presque entièrement un des murs du grand salon. Il représente notre royaume et plusieurs de ses habitants. D'un côté, une masse rose et froufroutante. Ce sont les femmes, assises à l'ombre des arbres. De l'autre côté, un ensemble bleu et fièrement dressé. Ce sont les hommes, armes en main et visages fermés. Au centre du tableau se tient mon père. Il est assis sur son trône avec son sceptre préféré. Ma mère n'est pas loin, devant son métier à tisser. Sur la gauche, dans un coin, on peut voir Balthazar, en train de brosser un cheval. Balthazar, c'est le palefrenier[1] du château, mais c'est surtout mon pote avec qui je me marre depuis que je sais marcher. À droite se tiennent plusieurs chevaliers, et celui qu'on voit le mieux même s'il est moins grand que les autres, c'est Clotaire, le chevalier préféré de ma mère.

Pour cette tapisserie-là, maman m'a fait une surprise. Elle a tissé pendant des semaines en cachette, et un beau

1   Valet chargé du soin des chevaux.

matin, elle m'a convoquée pour l'installation dans le grand salon. Comme je suis bien élevée, j'ai fait celle qui était super contente. « Oh ! Merci, maman ! » Alors qu'intérieurement, je ruminais : « Super ! Encore une tapisserie ! Justement, ça tombe bien, on n'en a pas tellement par ici ! » Mais quand nos serviteurs l'ont déroulée, j'ai eu des petits picotements qui ont commencé à se déclencher du côté de mes yeux.

Parce que tout en haut de son tableau, à côté d'un joli nuage blanc, maman avait reproduit le portrait de Michel-Philibert. Ma licorne plus vraie que nature. Tout y était : ses quatre pattes aux jarrets un peu dodus, son poil blanc qui scintille dans les rayons du soleil couchant, sa crinière arc-en-ciel toute douce (hiiiiiii ! je ne me lasse pas de la caresser !), sa queue assortie, sa corne nacrée qui se dresse au milieu de son front et son regard qui me fait craquer... (En vrai, Michel-Philibert louche un peu, même si quand je dis ça, mon père ricane bruyamment : « Ta bestiole peut surveiller le Nord et le Sud en même temps, elle louche carrément, tu veux dire ! »)

Mais le plus chouette dans la tapisserie de ma mère, c'est que Michel-Philibert est en action ! Il vole au-dessus des remparts du château, et moi, je suis fièrement installée sur son dos.

Maman n'avait rien oublié. Même pas le petit détail qui montre qu'elle nous connaît bien, moi et ma monture préférée. Elle m'avait reproduite en train de glisser une betterave entre les grandes dents de Michel-Philibert, qui la croquait goulûment. Elle avait tissé également le prout formidable qui suit l'ingestion du légume favori de ma licorne. Parce que oui, quand Michel-Philibert mange une betterave, il pète ! Mais attention, pas comme n'importe qui ! Et pas n'importe quel pet ! Un prout de licorne qui laisse derrière lui un petit nuage violet, irisé de paillettes (trop beauuuuu !). Le plus fort, c'est que sur le tableau, on voyait bien que, sous l'effet de ce gaz coloré, ma licorne était propulsée en avant.

Maintenant, vous avez compris pourquoi j'ai toujours des betteraves dans mes poches, même si je déteste ça ! Je n'ai pas encore trouvé de meilleur carburant à licorne. C'est magique : une betterave, un pet violet pailleté et il avance à toute vitesse !

Après avoir essuyé mes yeux (qui me chatouillaient pour ceux qui auraient besoin qu'on leur rappelle les trucs) et avoir ri en même temps, je me suis exclamée :

« Oh, merci maman ! »

Depuis cette date, donc, je ne me lasse pas d'admirer la tapisserie du grand salon.

Évidemment, ce tableau n'est pas du goût de tout le monde. Je vous laisse deviner qui a râlé en le découvrant. (Je vous aide : ça commence par « pè » et ça finit par « re ».) La personne en question a donc dit à ma mère, alors qu'elle pensait que je ne l'entendais pas : « Enfin ! Qu'est-ce qui vous a pris, très chère, d'aller dessiner ce gros poney ? »

Gros poney !?

Et puis quoi encore ?

Premièrement, Michel-Philibert n'est pas un poney. C'est une licorne !

Deuxièmement, il a simplement des mollets un peu dodus, c'est différent.

Quoi qu'il en soit, à en croire mon père, tout le monde est gros. Moi y compris.

Le premier jour où j'ai monté Michel-Philibert, alors qu'il imaginait encore une fois que je ne l'entendrais pas (il croit que je me fourre les oreilles avec du hachis Parmentier ou quoi ?), mon père a glissé à ma mère, avec une grimace de dégoût : « Ils sont bien assortis, ces deux-là ! »

Premièrement, je ne suis pas grosse.

Deuxièmement, j'ai des jolies formes.

Ce n'est pas moi qui le dis, mais Balthazar.

Bref, Michel-Philibert et moi, on est bien assortis. Là-dessus mon père a raison. Mais pas à cause des kilos, soi-disant en trop. On est bien assortis, tout simplement parce que tous les deux, on aime l'aventure.

Et devinez ce qu'en pensent mon père et ma mère ? Fille ? Aventure ? Est-ce que ça va bien ensemble, selon eux ? Non, évidemment ! De toute façon, rien ne va jamais avec mes parents. Surtout quand on a la malédiction d'être née sans bistouquette.

179

(Comme si une foufounette, ça comptait pour du beurre !)

Quelques exemples de « La vie selon papa et maman » pour que vous vous rendiez compte de l'ampleur de la catastrophe :

— Une fille doit être bien coiffée.

(Ma mère a même établi un programme à suivre pour chaque femme et chaque fille du royaume : au lever, nous devons consacrer quinze minutes à brosser nos cheveux, puis trente minutes à les coiffer en entrelacs compliqués. Au coucher, rebelote : on défait tout et on rebrosse pendant quinze minutes. Et ce n'est pas tout. Chaque mercredi et chaque samedi, il nous faut laver nos cheveux dans une eau tiède, faire un premier rinçage, puis un second à l'eau glacée. Et pendant ce temps, je vois Balthazar qui s'amuse avec les chevaux ou qui s'entraîne avec son arc. Moi, je piétine de rage, en poussant des cris de douleur parce que ça tire et ça fait mal !)

— Une fille doit avoir la jambe fine et longue.

(« Et on fait comment quand on est née avec la cuisse courte et rondelette ? »

Je me suis énervée, un midi où six navets gisaient au fond de mon assiette, pendant que le reste de la tablée avalait des lasagnes. « On mange des légumes ! » avait rétorqué ma mère. « Ah ? Le navet fait donc pousser les jambes ? » « Pas que je sache ! » s'était esclaffé le chevalier Clotaire. J'avais plongé illico ma cuillère dans le plat de lasagnes en proclamant : « On est d'accord, même avec des navets matin et soir, un éléphant ne deviendra jamais une girafe ! »)

— Une fille ne doit pas faire ceci, une fille ne doit pas faire cela, gnagnagna...

Y en a des tonnes comme ça !

Ils ont même mis en place Les *Grandes Lois du royaume*. Ce sont de petites phrases qui sont désormais affichées dans tous les coins et qu'on doit lire à haute voix à chaque fois qu'on les croise. « Les gentes dames adorent le rose, les gentilshommes sont friands du bleu » a été la première affichée. Dès le lendemain, et chaque jour qui a suivi, j'ai barré un des mots et je l'ai remplacé par un autre.

Ça a donné :

« Les gentes dames adorent les courgettes, les gentilshommes sont friands de cacahouètes. »

Puis : « Les gentes dames adorent les crottes de nez, les gentilshommes sont friands d'ongles de pied. »

Ou encore : « Les gentes dames adorent les cure-dents, les gentilshommes sont friands de déodorants. »

Ce qui est chouette, c'est que j'ai appris la semaine suivante que d'autres personnes dans le royaume faisaient la même chose. Eux aussi donnaient leur version de la *Grande Loi du royaume* !

Une fois, la *Grande Loi du royaume* du jour m'a tellement agacée que j'ai attaché à la patte de Casserole, ma pigeonne voyageuse, une banderole qui affichait « Vive les poils aux pattes ! »

Parce que, ce jour-là, mon père avait carrément pété un câble en voyant mes jambes poilues. Parce que (bis), évidemment, « une fille ne doit pas avoir de poils ».

— Et pourquoi donc ? ai-je voulu savoir.

— Ce n'est pas gracieux ! a expliqué mon père.

— Faites voir vos jambes ! ai-je renchéri.

— Mais enfin, je n'ai pas à vous montrer mes jambes !

— Elles ne sont pas assez *gracieuses*, c'est ça ? ai-je persiflé.

— Ça n'a rien à voir. Sur un homme, ce n'est pas la même chose.

— Et pourquoi donc ?

— Parce que la nature nous a faits comme ça. Avec des poils.

Là, j'ai franchement ricané :

— Ah bon ? Mais qui est donc venu coller les miens sur mes jambes, alors ?

Mon père a pris une couleur digne du plus beau homard. Un rouge éclatant. Ma mère, elle, m'a regardée avec de grands yeux paniqués, en agitant frénétiquement les bras pour me dire « Arrête, arrête ! Il ne va plus se contrôler ! »

Elle connaît bien son mari, parce qu'il a presque crié :

— Céleste, ça suffit ! On ne répond pas à son père. Les filles ne doivent pas avoir de poils. Un point c'est tout.

J'ai tourné le dos, mais avant de quitter la pièce, j'ai quand même ajouté :

— Pas de bol, moi je suis née AVEC des poils. Allez vous plaindre à ceux qui m'ont fabriquée !

Ma banderole de promotion des poils a flotté au-dessus du royaume une après-midi entière. Mon père bouillait de rage à la voir passer et repasser ainsi. Il a fini par ordonner à son meilleur archer de viser ma pigeonne. Cachée près des écuries, j'ai sifflé et Casserole (que j'ai super bien dressée, y a pas à dire !) est immédiatement retournée à l'abri dans son pigeonnier.

Évidemment, j'ai été privée de dîner le soir même. C'était un petit peu embêtant parce que j'adore les plats de notre cuisinière, mais j'étais vraiment contente d'avoir pu crier à la face du monde (enfin, du royaume, si je veux être tout à fait exacte !) que garder ses poils, c'est *grave cool*.

Et puis finalement, tout s'est arrangé comme dans les contes. (Vous savez, le truc « tout est bien qui finit bien » !) Alors que je croyais que les habitants du château dormaient, mon pote Balthazar est venu frapper à ma porte. Il avait entre les mains une assiette fumante et, pendant que je mangeais, il est resté avec moi. On a bien rigolé en repensant à toutes les autres fois où j'ai utilisé Casserole pour diffuser mes messages au royaume. « J'aime le bleu ! » « Y en a marre de devoir sourire tout le temps ! » « À bas les cours de couture et vive les leçons de physique ! » « Le maquillage, à la poubelle, si je veux ! » « J'ai pas envie d'être gentille ! » « Les filles ont le droit d'être courageuses et les garçons ont le droit d'avoir peur ! » « Vive les grosses, les maigres, les petites et les grandes ! » (Oui, j'ai toujours plein d'idées sur le sujet !)

Pendant que je léchais mon assiette (un truc qui aurait fait s'évanouir ma mère si elle m'avait vue, et qui aurait déclenché une autre *Grande Loi du royaume,* du style « Les gentes dames ne finissent pas leur assiette, les gentils-hommes dévorent les plats jusqu'à la dernière miette. »), bref, pendant que je léchais mon assiette, Balthazar m'a raconté que mes banderoles avaient fait leur petit effet. Plusieurs jeunes filles avaient commencé à agir. L'une d'elles avait, par exemple, repeint la porte de sa chambre en bleu, et quelques jours après, toutes les villageoises du royaume l'avaient imitée. Ce qui fait que tout le hameau au pied du château, des toits aux volets, en passant par les murs, était devenu bleu ! Une autre avait invité ses voisines à faire des expériences scientifiques. Elles avaient cherché ensemble combien de gouttes il y a dans un litre d'eau et si l'air avait un poids, pendant que leurs aiguilles et leurs bobines de fils brûlaient dans un grand feu.

Quand je me suis couchée après le départ de Balthazar, je rêvais encore dans le noir. Peut-être que le lendemain, ou même le mois suivant, toutes les femmes que je croiserais dans le royaume soulèveraient leur robe avec un clin d'œil pour me montrer leurs jambes poilues ! Peut-être même que l'une d'elles aurait des tresses qui lui chatouilleraient les mollets, tellement elle les aurait laissés pousser !

Que c'était bon de s'endormir en rêvant à un monde comme celui-là...

Mais revenons à la dernière lubie de mon père, celle qui m'a fait prendre la plume : pour mes quinze ans, mon père a pris une grande décision. Maintenant que j'étais une jeune fille, il allait me... Féliciter ? Être fier de moi ? M'écouter enfin ? (Vous penchez pour l'une ou l'autre de ces propositions ? Eh bien, je suis désolée de vous dire que vous avez tout faux !)

Maintenant que j'étais une jeune fille, il allait me MARIER !

Me marier ! Moi qui, hier encore, étais une enfant ! (C'est vrai, il y a deux jours, on a fait une partie de cache-cache dans les écuries avec Balthazar. Si c'est pas une preuve irréfutable, ça, je ne sais pas ce qu'il vous faut !)

Me marier ! Moi qui aime faire ce qui me plaît !

Nanméo, ça va pas la tête ?

Je n'ai absolument pas envie de me marier. D'ailleurs, c'est ce que je lui ai dit :

— Che ne feux pas me marier !

(Toute cette histoire a débuté au moment du dessert et j'avais une grosse bouchée de gâteau dans la bouche.)

— Tu te marieras. Un point, c'est tout.

(Normalement, mon père dit « Une fille ne doit pas parler la bouche pleine », mais là, il était tellement énervé qu'il a oublié !)

— Je crois que vous n'avez pas bien compris. Je *refuse* de me marier !

— C'est toi qui n'as pas bien compris : le père décide, la fille se tait et accepte les décisions de son père.

J'ai hurlé (en projetant des petites miettes de gâteaux partout, ce qui n'était pas très gentil pour maman qui se trouvait en face et qui a plissé les yeux sous les postillons) :

— Je ne me tairai jamais !

J'ai hurlé encore, en claquant la porte (ce qui n'était pas très gentil pour la porte) :

— Et je ne me marierai JAMAIS !

Évidemment, comme je ne suis pas un garçon, pour mon père, ce que je dis n'a aucune importance. Et dès le lendemain, une grande affiche a été placardée partout dans le royaume.

Moi, le roi, promets au preux qui vaincra le terrible dragon la main de ma fille, la princesse.

participation obligatoire et avec le sourire.

Mon père avait organisé une sorte de *concours* dont j'étais le lot principal et unique. (Génial ! Je n'ai pas du tout eu l'impression d'être un gigot ou une bourriche d'huîtres !) Celui qui terrasserait le dragon, qui menace notre royaume de ses rugissements depuis des années, décrocherait la timbale.

(Et vous l'avez compris, dans le rôle de la timbale, il y avait Bibi !)

On a donc vu défiler des centaines de princes et de chevaliers. Des grands, des petits, des souriants, des grincheux, des moches, des beaux... Mais je m'en moquais comme de ma première clef à molette puisque je-ne-voulais-pas-me-marier !

Heureusement pour moi, les uns après les autres, ils ont lamentablement échoué. Pas un n'a réussi à venir à bout du dragon. Chaque soir, je remerciais le ciel, les arbres, le vent et tout ce qui m'entourait, pour la défaite du jour.

Un matin, il n'y a plus eu un seul prince. Plus un seul chevalier non plus. La longue file de prétendants était enfin tarie.

J'ai dansé de joie au pied du grand chêne.

La fête a été de courte durée, puisque c'est à ce moment-là que ma mère, la fourbe (et qui en pince pour le chevalier Clotaire) est intervenue. Alors que Clotaire n'aime rien tant que lire à longueur de journée, elle a réussi à le persuader de quitter ses romans pour participer à ce concours idiot.

Je soupçonne ma mère de rêver que Clotaire intègre officiellement notre famille. Plus d'une fois, je l'ai entendue soupirer « Quel beau parti il ferait ! », « Comme une jeune femme serait heureuse à ses côtés »... Évidemment, ces messages m'étaient adressés et, évidemment, je faisais semblant de ne pas les entendre. (En même temps avec mes oreilles fourrées au hachis Parmentier, rien de plus normal, non ?)

Et voilà donc que notre Clotaire, qui nageait dans son armure trop grande pour lui, allait devoir partir à l'assaut du dragon. J'étais sûre et certaine qu'il en avait autant envie que de manger un poireau par le nez !

D'ailleurs, ce pauvre Clotaire a pris la route le soir même en tremblant de tous ses membres et l'œil brillant, ce qui lui a valu une remarque de mon père. « Enfin, Chevalier, un homme ne pleure pas ! Un peu de courage, que diable ! » (Je savais déjà quel serait le prochain message à inscrire sur une banderole, moi, du coup. Pourquoi un homme ne pourrait-il pas être triste, bazar de bazar ?)

J'y ai pensé toute la nuit. Clotaire, qui déteste le sport et l'aventure, allait se retrouver face à un dragon rugissant, qui n'aurait aucune difficulté à n'en faire qu'une bouchée !

Au petit matin, ma décision était prise : je ne pouvais pas rester sans rien faire. Je suis descendue en cachette aux écuries et j'ai sifflé ma licorne. Michel-Philibert est arrivé en hennissant de plaisir et aussi vite que le lui permettaient ses petits mollets dodus. (Mais qu'il est chou !)

— On a du boulot, lui ai-je dit. On part à la chasse au dragon !

Je n'avais pas de plan, mais je savais que pour terrasser ce monstre, on ne serait pas trop de deux. Avant nous, des centaines d'hommes habitués au combat avaient essayé, et tous avaient échoué...

Michel-Philibert s'est mis à frétiller de joie pendant que je grimpais sur son dos, et nous nous sommes envolés en direction de la colline du dragon.

— Pose-toi délicatement, ai-je soufflé à ma licorne, quand nous sommes arrivés à proximité de la colline.

Michel-Philibert a fait un atterrissage en douceur, mais la dernière betterave qu'il avait avalée avait visiblement perturbé sa digestion, parce qu'à l'instant où ses sabots sont entrés en contact avec le sol, un prout retentissant a résonné dans le silence de la nuit.

— Chut ! Tu vas réveiller le monstre !

Ma licorne m'a regardée avec des yeux si honteux que je lui ai immédiatement frotté la crinière.

— Ça ne fait rien, je sais bien que ce n'est pas de ta faute, Michel-Philibert.

J'ai encore un peu gratté son front et je lui ai dit :

— Reste ici, je pars à la recherche de Clotaire.

À pas de loup, je me suis avancée en direction de la colline. Dans le silence de la nuit qui finissait, j'ai soudain perçu une petite mélodie. Je me suis arrêtée net en découvrant le spectacle qui s'offrait à mes yeux.

Clotaire était tranquillement assis sur un rocher et jouait de la flûte, les yeux fermés. Quand il les a rouverts et qu'il m'a vue face à lui, il est devenu tout rouge. Il a bredouillé, en fixant ses pieds :

— Céleste ? Mais que se passe-t-il ? Que fais-tu là ?

— Je crois que c'est plutôt à moi de poser ces questions, Chevalier !

— Euh... Hum... C'est-à-dire que c'est compliqué.

Je l'ai regardé en fronçant les sourcils.

— Compliqué ?

— En fait... euh... Je ne sais pas par où commencer.

— Par le commencement : où est le dragon ?

Clotaire a rangé sa flûte dans sa poche et a soupiré.

— Il n'y a pas de dragon.

Pas de dragon ? Je n'en croyais pas mes oreilles !

Il m'a tout expliqué : le monstre n'avait jamais existé, et les uns après les autres, les chevaliers avaient tous fait SEMBLANT de partir l'affronter, avant de rentrer bredouilles au royaume.

Je ne comprenais rien. C'est d'ailleurs ce que j'ai dit :

— Je ne comprends RIEN.

— Céleste, m'a demandé Clotaire, quoi de mieux qu'un dragon invincible pour éviter un mariage ?

La question de Clotaire a tourbillonné dans ma tête jusqu'à ce que tout s'éclaircisse enfin.

— Tu veux dire que, comme moi, les chevaliers n'ont pas envie de se marier ?

— Exactement ! a rétorqué Clotaire, en se levant d'un bond.

Il s'est mis à faire les cent pas, en me parlant de Mayeul qui préférait faire des cabanes dans la forêt, de Clodomir qui ne voulait pas que des noces le séparent de sa bande de potes, de Fulbert qui aimait par-dessus tout voyager, de Tancrède qui en aimait une autre...

— Ça alors ! ai-je souri. Je n'avais jamais imaginé qu'on avait tant de points en commun, les chevaliers et moi !

Au même instant, les premiers rayons du soleil sont apparus au-dessus de la colline du dragon (si mal nommée, maintenant je le savais !).

— À vous non plus, on ne demande pas votre avis...

— Exactement ! a encore fait Clotaire. C'est pour ça qu'on entretient la légende du monstre... Alors que c'est le souffle du vent qui ressemble à un rugissement, quand il passe à travers ce grand arbre creux !

Alors que je caressais l'écorce de ce chêne rugissant, Clotaire m'a sortie de mes pensées avec sa petite voix timide :

— Dis, Céleste. Tu ne vas rien raconter au château, hein ?

J'ai éclaté de rire.

— Non, Clotaire, j'ai une autre idée.

Le chevalier m'a adressé son plus beau sourire.

Quelques instants plus tard, le tronc creux était colmaté grâce à mon indispensable Michel-Philibert et à son nuage fessier (qui a la particularité de se figer au contact de l'air en une substance violette et pailletée mais surtout très compacte). Grâce aux prouts de ma licorne, le grand arbre maintenant bouché ne produirait plus jamais d'affreux rugissements !

Une fois ce problème réglé, on a enfourché Michel-Philibert, tout heureux de rentrer à la maison. Je peux vous dire que notre arrivée n'est pas passée inaperçue ! Quand on a atterri dans la cour du château, la voix de mon père a retenti depuis le grand salon :

— Céleste, pourquoi n'es-tu pas dans ta chambre ?

— Je suis allée prêter main-forte à Clotaire.

— Une princesse qui aide un chevalier ? a tempêté mon père. Mais un chevalier n'a besoin de personne ! Et surtout pas d'une fille !

Il tournait en boucle, sans pouvoir s'arrêter.

— Je le savais : cette enfant est folle.

— Hum... a fait Clotaire. Pardonnez-moi, Votre Majesté, mais en fait, avec Céleste, nous avons réussi à terrasser le monstre.

Mon père ne l'a même pas entendu. Il continuait à s'énerver :

— Va tout de suite dans ta chambre !

Par la fenêtre du grand salon, j'ai vu ma mère qui posait une main sur le bras de mon père.

— Très cher, Céleste vient de triompher d'un dragon. Et si on l'écoutait, pour une fois ?

Mon père a regardé ma mère comme si elle lui demandait d'aller cueillir des roses tout nu et en chantant une berceuse.

J'en ai profité pour lui faire le récit épique de notre combat aussi sanglant que... complètement inventé. Incroyable : pour une fois, mon père ne m'a pas interrompue. J'allais le remercier pour cette prouesse, quand il a annoncé d'une voix fière :

— Braves gens, félicitez-vous du courage du chevalier Clotaire, qui vient de gagner la main de ma fille ! Qu'on organise leurs épousailles au plus vite !

Quoi ? Qu'est-ce que j'entendais ? Mon père était en train de perdre la boule ! Ou alors, il ne comprenait vraiment rien à rien. J'ai failli m'étouffer de rage. Mais avant que je me mette à vociférer, Clotaire est intervenu :

— Sire, sans vouloir vous offenser, cette victoire n'est pas due à mon seul courage. On a réussi ensemble, avec Céleste. Je ne mérite donc pas d'épouser votre fille.

Malheureusement, mon père n'avait pas dit son dernier mot :

— Taratata, Clotaire, ne faites pas le modeste, vous venez de gagner la main de ma fille !

À ses côtés, ma mère affichait un visage proche de l'extase :

— Ah... C'est beau, l'amour ! a-t-elle soufflé avec un petit signe de la main à sa fille (donc moi) et à son chevalier préféré, nous imaginant déjà fiancés.

J'allais crier que l'amour n'avait rien à voir avec tout ça, que zut à la fin, est-ce qu'on pouvait écouter ce que j'avais à dire, mais mon père a été plus rapide que moi. Il a fini sa phrase :

— Qu'on organise leurs épousailles au plus vite !

Cette fois, c'était plus que je ne pouvais en supporter !

— Mais enfin, ça suffit ! On ne me *gagne* pas ! Je refuse tout net ! Il est hors de question que j'appartienne à quelqu'un ! Je veux décider de ma vie et faire comme il me plaît !

Clotaire m'a applaudie. Il a été suivi par toutes les femmes et les filles qui avaient assisté à nos échanges. Des garçons les ont bientôt rejoints, puis des hommes aussi. Rapidement, toute la cour s'est retrouvée à taper dans ses mains.

Quand le silence est revenu, Clotaire a repris la parole :

— Sire, Céleste est à Céleste. Je crois que c'est clair pour tout le monde. Et sans vouloir vous offenser, il serait peut-être temps que vous le compreniez ?

Rien que pour cette phrase, j'aurais bien sauté au cou de Clotaire. Je l'aurais même embrassé, pour tout vous dire ! Mais comme toute cette histoire d'amour et de mariage m'avait vraiment énervée, pas de bisou !

C'est Michel-Philibert, qui me comprend si bien, qui a conclu l'affaire parfaitement. Il a léché d'un grand coup de langue le visage du chevalier !

Encore mieux qu'un baiser !

DÉCOUVREZ LES AUTRES ROMANS DU LABEL !

ALLÔ, SORCIÈRES :
UNE SÉRIE ÉNERGIQUE
ET CONNECTÉE, AUTOUR
D'UNE BANDE DE FILLES
QUI DÉCOIFFENT.

VISER LA LUNE

par Anne-Fleur Multon

Illustré par Diglee

SOUS LE SOLEIL
EXACTEMENT

par Anne-Fleur Multon

Illustré par Diglee

#girlpower #ducôtéfilledelaforce #humour

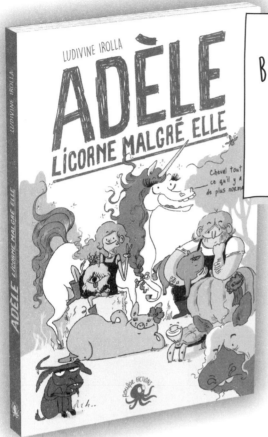

ADÈLE LICORNE MALGRÉ ELLE

par Ludivine Irolla

Illustré par Marie de Monti

Adèle est un cheval presque comme les autres, avec juste une petite particularité : elle a une corne sur la tête. Heureusement, chez Norbert, le fermier qui l'héberge, on n'en fait pas tout un foin. Chacun ses petits défauts ! Tout allait pour le mieux jusqu'à l'arrivée d'un prétendu spécialiste des licornes, qui crie soudain sur les toits qu'elle est un animal légendaire. N'importe quoi ! Elle va leur montrer, elle, que la magie n'existe pas !

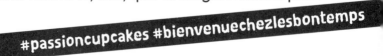

#passioncupcakes #bienvenuechezlesbontemps

CAVIAR POISSON STAR

par Justine Jotham

Illustré par Perceval Barrier

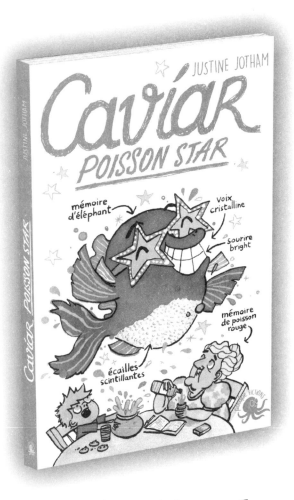

Caviar, le poisson rouge de la star de la chanson Miss Silver, est désemparé : suite au décès de sa propriétaire, le voilà adopté par une famille totalement banale, qui ignore tout de son talent de ténor ! Hors de question de rester anonyme, il doit absolument renouer avec la célébrité... et est-ce que le petit Léopold et sa Mémé ne pourraient pas l'y aider ?

#caviarsuperstar #bocalises #mémédanslaplace

LES AVENTURES D'UNE ESPIONNE QUI VOYAGE DANS LE TEMPS !

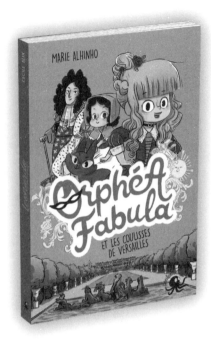

ORPHÉA FABULA ET LES COULISSES DE VERSAILLES

ORPHÉA FABULA ET LE CRISTAL D'OSIRIS

par Marie Alhinho
Illustré par Miss Paty

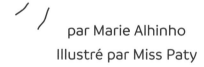

#orphéamènelenquête

ORPHÉA FABULA ET LES LARMES DU DRAGON

ORPHÉA FABULA ET L'ÉTOILE DE SAINT-PÉTERSBOURG

Orphéa n'est pas une jeune fille ordinaire :
ado normale pour ses parents,
elle est en réalité une super espionne !
De l'Égypte antique à la Russie impériale
en passant par Versailles et la Norvège
des Vikings, Orphéa a plus d'un défi à relever !

COLLECTIONNEZ LA TRILOGIE !

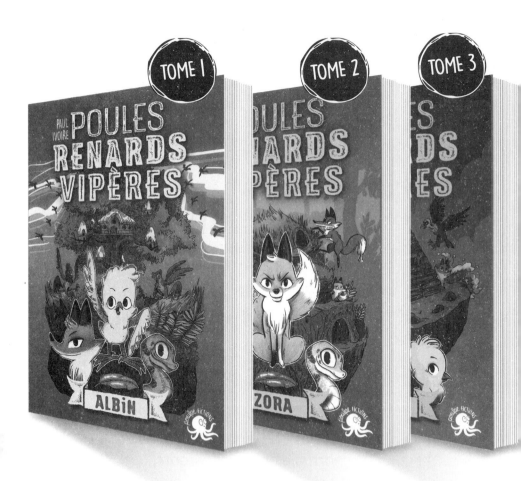